ELLE LUNA

EU SOU AS ESCOLHAS QUE FAÇO

SEXTANTE

Título original: *The Crossroads of Should and Must*

Copyright © 2015 por Elle Luna

Copyright da tradução © 2016 por GMT Editores Ltda.

Publicado em acordo com Workman Publishing Company, Nova York.

Todos os direitos reservados. Nenhuma parte deste livro pode ser utilizada ou reproduzida sob quaisquer meios existentes sem autorização por escrito dos editores.

tradução: Ana Ban

preparo de originais: Rafaella Lemos

revisão: Ana Grillo, Jean Marcel Montassier e Nina Lua

projeto gráfico: TK

diagramação e lettering: Antonio Rhoden – Ô de Casa

imagens de capa: Shutterstock

capa: DuatDesign

impressão e acabamento: Geográfica e Editora Ltda.

CIP-BRASIL. CATALOGAÇÃO NA PUBLICAÇÃO
SINDICATO NACIONAL DOS EDITORES DE LIVROS, RJ

L983e

    Luna, Elle

    Eu sou as escolhas que faço/Elle Luna; tradução de Ana Ban. Rio de Janeiro: Sextante, 2016.

    176 p.; il.; 23 cm.

    Tradução de: The crossroads of should and must
    ISBN 978-85-431-0371-6

    1. Conduta. 2. Felicidade. I. Ban, Ana. II. Título.

16-32265   CDD: 170.44
                                               CDU: 179.9

Todos os direitos reservados, no Brasil, por
GMT Editores Ltda.
Rua Voluntários da Pátria, 45 – 14º andar – Botafogo
22270-000 – Rio de Janeiro – RJ
Tel.: (21) 2538-4100
E-mail: atendimento@sextante.com.br
www.sextante.com.br

PARA MINHA FAMÍLIA

INTRODUÇÃO
p.vii

PARTE I
A ENCRUZILHADA
p.1

SUM

PARTE II
O QUE VOCÊ DEVE FAZER
p.39

EPÍLOGO
p.155

PARTE IV
O
RETORNO
p.129

ÁRIO

PARTE III
O QUE
VOCÊ
PRECISA
FAZER
p.59

Publicar

ERA UMA TERÇA-FEIRA, POR VOLTA DAS 7H DA MANHÃ, QUANDO CLIQUEI NO BOTÃO PARA PUBLICAR UM TEXTO NO SITE MEDIUM.COM.

Nós compartilhamos coisas na internet. Todos os dias. O tempo todo. Mas havia algo de diferente *naquela* coisa. Tão diferente que, em poucas semanas, o texto tinha sido retuitado por mais de cinco milhões de usuários e lido por 250 mil pessoas.

"Largue tudo o que você está fazendo e leia isto agora", postou uma mulher. "Este texto mudou a minha vida", escreveu outra. "Eu estava prestes a mandar o texto para todos os meus funcionários", afirmou um CEO, "mas supus que um terço deles iria pedir demissão quando terminasse de ler. Quer saber de uma coisa? Se eles não querem estar aqui, prefiro que peçam demissão – então mandei."

Recebi uma enxurrada de e-mails. Novas mensagens não paravam de chegar em meu celular. O texto se espalhou depressa pela internet, se tornou viral e, bem, aqui estamos nós. Resolvi escrever este livro por causa das pessoas que compartilharam sua história comigo e pela dor e a coragem de sua luta. Eram mulheres de 30 e poucos anos. Homens de 20 e poucos. Um aluno no fim do ensino médio. Pais. Uma viúva. Mães que criam os filhos sozinhas. Milionários que já foram pobres. Pobres que já foram milionários. Professores. Advogados. Um músico disfarçado de advogado. Um poeta que adorava dirigir ônibus. Mulheres que não queriam engravidar. Homens que queriam criar os filhos. Pessoas que se sentiam presas ao trabalho e pessoas que eram desesperadamente gratas apenas pelo fato de terem um emprego.

Com aquelas mensagens, percebi que a dor não fazia distinção de gênero, lugar nem idade. E, no fundo, ela existia porque...

INTRODUÇÃO

> **COM MUITA FREQUÊNCIA, SENTIMOS QUE NÃO ESTAMOS VIVENDO A VIDA AO MÁXIMO PORQUE NÃO ESTAMOS EXPRESSANDO NOSSOS DONS AO MÁXIMO.**

Falei com pessoas que estavam dispostas a qualquer coisa para se livrar da insatisfação, mas elas não sabiam o que fazer.

Escrevi este livro para compartilhar o que descobri na minha própria jornada e o que mais ajudou as pessoas que conheci. No entanto, não se trata de um livro de respostas, porque elas estão dentro de você; esta é uma coletânea das melhores perguntas com as quais me deparei ao longo do caminho.

Pense nestas páginas como uma série de portas criadas para que você possa escolher que rumo seguir.

ESTAS PÁGINAS SÃO PARA INCENTIVÁ-LO A DAR VALOR À VOZ INTERIOR QUE LHE DIZ QUE VOCÊ TEM ALGO ESPECIAL A OFERECER. É UM LEMBRETE DE QUE, APESAR DE NÃO EXISTIR UM MAPA PARA O CAMINHO QUE VOCÊ ESTÁ TRILHANDO, MUITA GENTE JÁ O PERCORREU ANTES. É UMA PERMISSÃO PARA DESAPRENDER TUDO QUE JÁ DISSERAM QUE VOCÊ DEVERIA FAZER, PARA QUE POSSA REALIZAR O QUE REALMENTE DESEJA.

INTRODUÇÃO

São 11h55 da manhã de uma quinta-feira e estou clicando em "salvar" pela última vez neste documento antes de ele começar sua aventura pelo mundo. Ao longo da vida, descobri que as coisas acontecem na hora certa. Não antes. Nem depois. Pense na possibilidade de este livro ter chegado às suas mãos porque você queria que chegasse. Porque uma parte sua já vislumbrou essa encruzilhada e você está pronto para o que vem pela frente. Eu me sinto privilegiada e grata por estas palavras chegarem até você, por algum meio, na hora oportuna. Obrigada por fazer parte desta louca e maravilhosa jornada. De um viajante para outro: *Boa sorte!*

23 de outubro de 2014
São Francisco, Califórnia, Estados Unidos

PARTE I

A ENCRUZ

ILHADA

EU ESTAVA DORMINDO PROFUNDAMENTE, QUANDO RECEBI O SINAL. ELE VEIO NA FORMA DE UM SONHO – UMA SALA BRANCA COM PISO DE CONCRETO, PÉ-DIREITO ALTO, JANELAS ENORMES E UM COLCHÃO NO CHÃO.

Era isso; esse era o meu sonho. Simples, fácil de esquecer, mas recorrente – todas as noites – durante meses. Um dia, uma amiga fez a pergunta que virou minha vida pelo avesso. Ela disse: *"Você já tentou procurar o seu sonho na vida real?"* A pergunta pareceu uma ponte levadiça baixando, um convite para entrar num mundo que parecia igualmente fascinante e ridículo. Primeiro, eu me recusei a pensar nessa possibilidade, mas ela não saiu da minha cabeça e, no fim, comecei a me perguntar...

QUANDO VO
PROCURAR
SONHOS
VIDA
POR ONDE

cê resolve os seus NA REAL, começar?

PELOS CLASSIFICADOS, PENSEI.

sala branca dos sonhos?

Eu me senti uma boba procurando apartamentos para alugar na internet. O que eu ia escrever na caixa de busca? Eu não fazia ideia do que estava buscando nem do que ia encontrar. Mas a procura se transformou em uma aventura divertida e sedutora, como uma caça ao tesouro.

E, um dia, encontrei. No site de classificados, numa foto minúscula. A sala branca estava ali, bem ali, na tela do computador. Um apartamento para alugar em São Francisco. E seria aberto para visitação no dia seguinte – *é claro*.

BILL MOYERS:

Você já teve a sensação de estar sendo ajudado por mãos invisíveis?

JOSEPH CAMPBELL:

O tempo todo. É milagroso. Tenho até uma superstição que desenvolvi como resultado da ação constante dessas mãos invisíveis: ao seguir sua felicidade, você se coloca numa espécie de trilha que sempre esteve ali, à sua espera, e a vida que você deveria viver é a mesma que está vivendo. Quando consegue enxergar isso, você começa a encontrar pessoas que estão no campo da sua felicidade, e elas abrem portas para você. Eu costumo dizer: persiga a sua felicidade e não tenha medo, então portas se abrirão onde você nem sequer sabia que havia portas.

JOSEPH CAMPBELL
O PODER DO MITO

Quando fui visitar o apartamento, fiquei surpresa ao deparar com mais uma dezena de pessoas fazendo a mesma coisa. Isso não fazia parte do meu sonho. Mas, de algum jeito inexplicável, senti que aquele espaço já era meu, que *tinha* que ser meu, que, da mesma maneira que eu estava à procura dele, ele estava à minha procura. Apesar de não saber o que estava fazendo, eu sabia exatamente o que estava fazendo. Entreguei meus dados ao corretor e fui embora.

Duas semanas depois me mudei para a sala branca dos meus sonhos com duas malas e meu cachorro. Eu me sentei no piso de concreto e olhei ao redor. Inesperadamente, comecei a entrar em pânico. O que eu tinha acabado de fazer? O que aquilo significava?

A ENCRUZILHADA

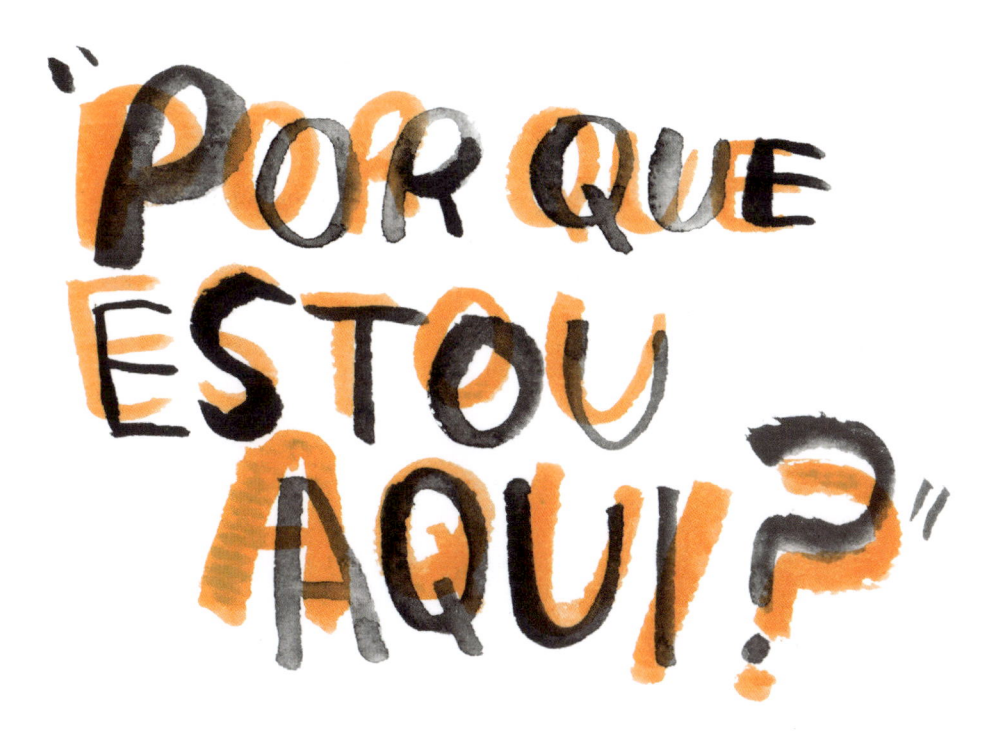

"POR QUE ESTOU AQUI?"

EU GRITEI.

E a sala respondeu: "Está na hora de pintar."

Na manhã seguinte, dei início à jornada mais difícil da minha vida: pintar o meu sonho.

Fazia quase dez anos que eu não pintava, então fui à loja de material de artes e reconstruí meu kit.

PINCÉIS DE ESPUMA E ROLOS DE ESPUMA E PINCÉIS DE PELO E TINTA

Enquanto passava as mãos pelo cabo de madeira dos pincéis, eu me lembrava da minha infância, sempre com um pincel na mão, a varinha mágica que transformava gravetos do mato em cobras coloridas, pedras em telas arredondadas, pratos de papel em retratos. Coloquei as memórias no carrinho enquanto o cheiro familiar de papel me atraía para o corredor seguinte.

PAPÉIS TIPO KRAFT, PARA AQUARELA, DE ALGODÃO E PRENSADOS A FRIO

Peguei o que precisava e me dirigi às cores.

A ENCRUZILHADA

Ah, como me lembrei rápido dos nomes, das consistências, das mudanças sutis de tonalidade quando misturadas com água ou verniz, das reações ao papel e à tela sem preparação! Eu me lembrei de ter 18 anos e deixar a casa da minha infância, juntar meus lápis e minhas tintas preferidas e colocar tudo numa caixa, que foi selada com fita adesiva grossa. Coloquei a caixa no porta-malas do carro, acenei para me despedir e dei ré na entrada de casa.

Na loja de material de artes, quando peguei um galão de tinta branca da prateleira para colocar no carrinho, me lembrei do peso de uma caixa parecida que carregara escada acima para o meu primeiro apartamento. Depois para o segundo. Depois para o nono e o décimo. No início eu mantive aquela caixa ao lado da mesa de trabalho, onde permanecia fechada; em seguida passei a guardá-la dentro do armário para não atrapalhar; no fim, quando estava preenchendo fichas de inscrição para o curso de Direito, acabei abandonando-a no porão, ao lado de uma árvore de Natal artificial que já vinha com as luzinhas.

Deixando as lembranças de lado, paguei pelo material, voltei para casa com as minhas compras e pintei com uma energia que nunca tinha sentido antes.

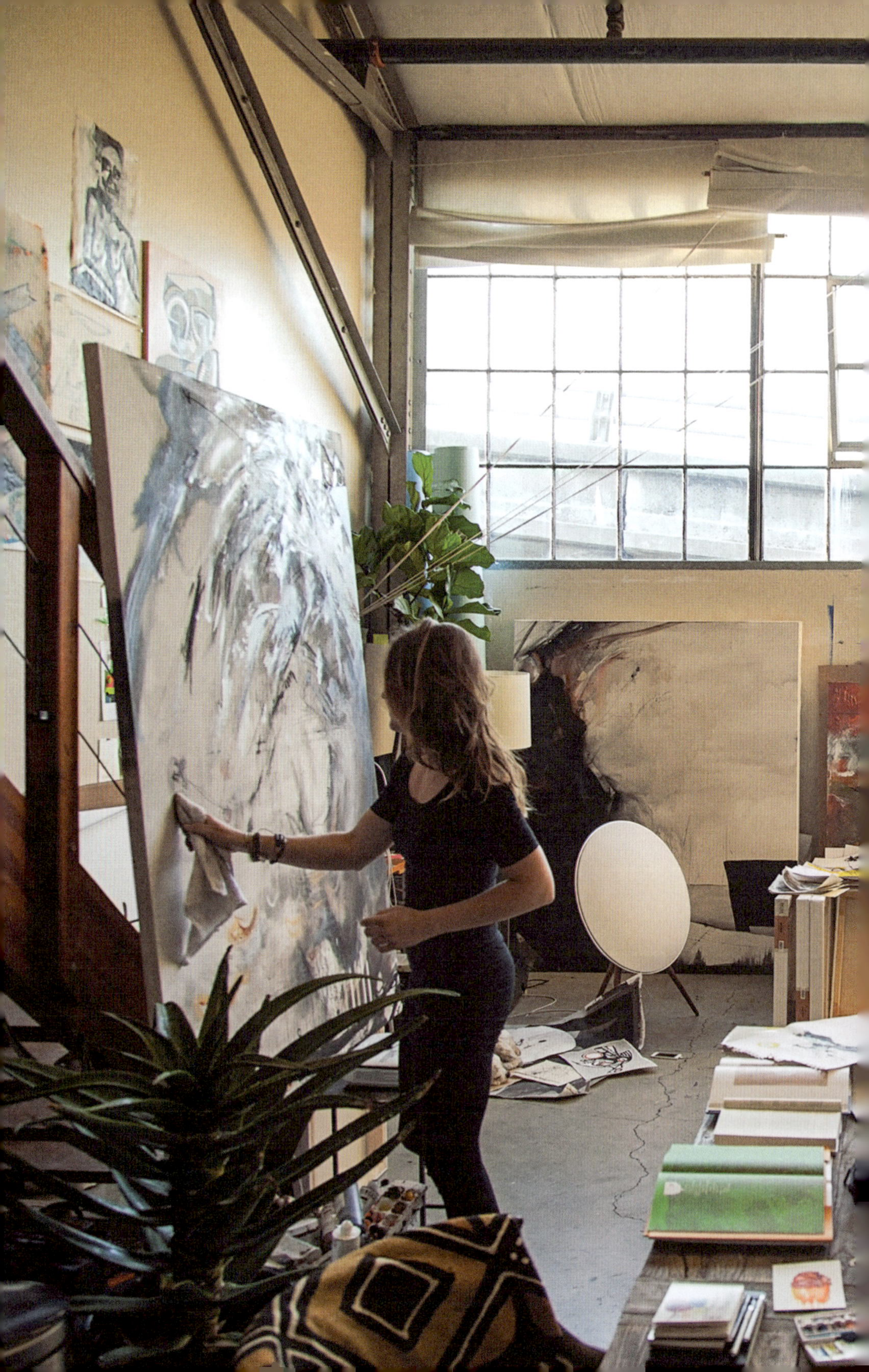

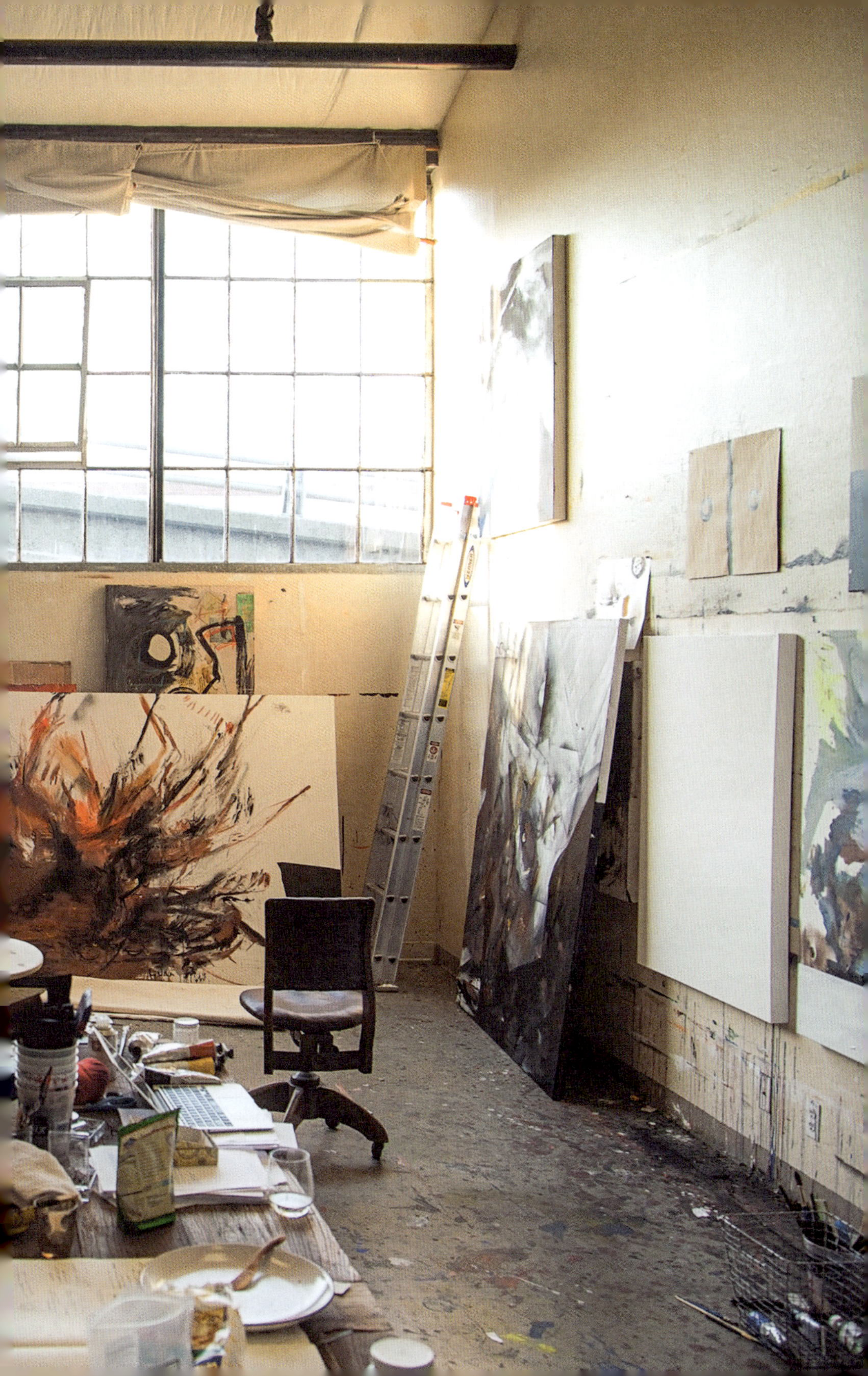

A ÚNICA PEGADINHA?

Eu tinha um emprego em período integral, trabalhando mais de quarenta horas semanais numa *startup* que era muito importante para mim. Eu fazia parte de um pequeno grupo que queria mudar a maneira como as pessoas interagem com o e-mail. Fazia quase um ano que nos empenhávamos para transformar uma ideia que havíamos anotado num bloquinho em um aplicativo para celular. Quando eu não estava trabalhando, estava pintando. Sentia que tinha entrado em um dos períodos mais criativos da minha vida. Mas aquilo não era equilibrado nem sustentável, e eu sabia que me aproximava com rapidez de uma encruzilhada na vida.

TEDtalks

Conversando com um amigo sobre tudo isso, ele perguntou: "Você já viu a palestra do Stefan Sagmeister?" Ele pegou o laptop, sentou ao meu lado e disse: "A gente tem que assistir agora mesmo."

No vídeo, Sagmeister, artista e designer que trabalha em Nova York, define a diferença entre emprego, carreira e vocação. Eu nunca tinha pensado que essas coisas fossem diferentes.

EMPREGO

Algo que geralmente é feito das 9h às 18h em troca de pagamento.

CARREIRA

Um sistema de progressos e promoções ao longo do tempo no qual recompensas são usadas para otimizar o comportamento.

VOCAÇÃO

Algo que nos sentimos impelidos a fazer, independentemente de fama ou dinheiro. O próprio trabalho é a recompensa.

LEROY CHIAO
ASTRONAUTA

O CARTÃO DE VISITA MAIS LEGAL DE TODOS OS TEMPOS

Comecei a pensar em qual dos três eu tinha. E faço a você a mesma pergunta:

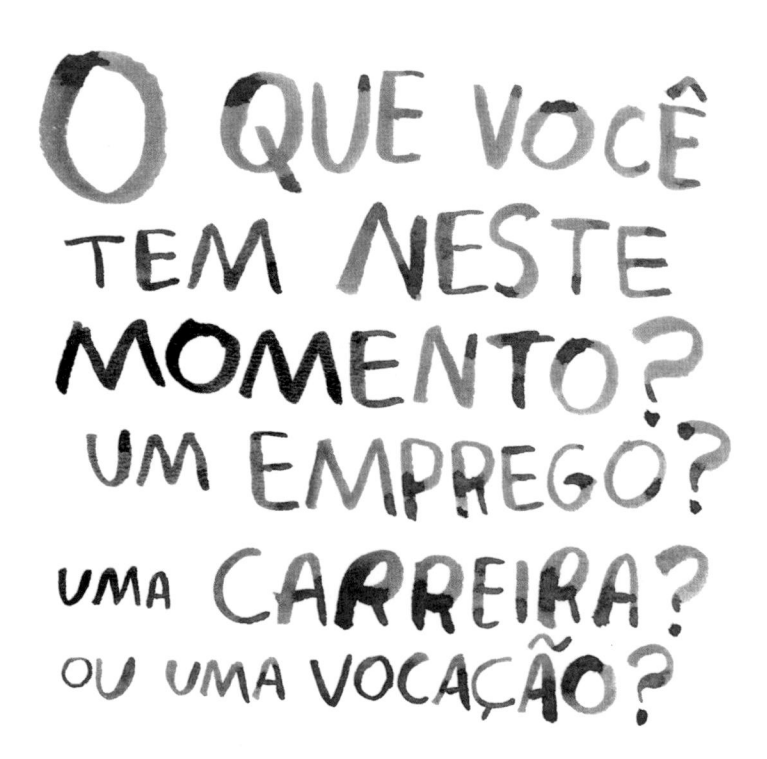

O QUE VOCÊ TEM NESTE MOMENTO? UM EMPREGO? UMA CARREIRA? OU UMA VOCAÇÃO?

Outro questionamento parecido surgiu quando eu estava lendo a biografia de Pablo Picasso escrita por Arianna Huffington.

Ela descreve como Picasso equilibrava o trabalho e a arte:

> *Quanto mais eu descobria sobre a vida dele e mergulhava em sua arte, mais as duas coisas convergiam. "O que conta não é o que um artista faz, mas o que ele é", disse Picasso. Mas sua arte era tão completamente autobiográfica que o que ele fazia era o que ele era.*

A VIDA DE PICASSO

A ARTE DE PICASSO

A VIDA DE PICASSO

A ARTE DE PICASSO

Sim, Picasso tinha um talento incrível, mas o segredo da genialidade dele era que sua vida se misturava completamente com sua arte.

O QUE ELE FAZIA ERA O QUE ELE ERA. O QUE ELE FAZIA ERA O QUE ELE ERA. O QUE ELE FAZIA ERA O QUE ELE ERA.

Eu não conseguia parar de ler aquela frase. Ela parecia ser a chave que destrancava mil portas. Era impossível saber onde terminava a vida e onde começava a arte dele. Tudo era um enorme redemoinho de touradas, praias e pincéis.

Isso me levou a uma hipótese. E se...

NOSSO
EMPREGO

=

NOSSA
CARREIRA

=

NOSSA
VOCAÇÃO?

E se quem nós somos e o que fazemos se transformassem na mesma coisa? E se o nosso trabalho for tão completamente autobiográfico que seja impossível separar criador e criatura? Neste caso, descrições de títulos e atribuições já não fazem mais sentido. Deixamos de *ir* trabalhar e passamos a *ser* o trabalho.

QUEM VOCÊ É
↓

O QUE VOCÊ FAZ

↓

De volta ao trabalho, eram 9h da manhã de quinta-feira, 7 de fevereiro, quando compartilhamos nosso aplicativo com o mundo. O lançamento foi um sucesso indiscutível, e eu sabia que aquele era um dos pontos altos da minha vida. Mas, no fundo, não conseguia parar de pensar no que aquilo tinha a ver com o meu sonho de uma sala branca.

EU ESTAVA EM MINHA MESA DE TRABALHO QUANDO A ENCRUZILHADA APARECEU. A ESCOLHA ERA CLARA. DOIS MUNDOS IGUALMENTE SEDUTORES. MAS BEM DIFERENTES. EXAMINEI MINHA SITUAÇÃO FINANCEIRA E VI QUE PODERIA PASSAR ALGUNS MESES SUSTENTANDO MINHA VIDA COMO ARTISTA. COMECEI A CUMPRIR AVISO PRÉVIO. EU NÃO TINHA MUITA CERTEZA DO QUE ESTAVA FAZENDO — MAS, NO FUNDO, EU TINHA, SIM.

"DEIXE-SE
SILENC[IO]
LEVADO PELA
ATRAÇÃO DA[Q]
VOCÊ AMA
VOCÊ NÃO VA[I]

SER
  OSAMENTE
  ESTRANHA
  UILO QUE
  DE VERDADE.
  SE PERDER."

RUMI
POETA

HÁ DOIS CAMINHOS NA VIDA: O CAMINHO DA SEGURANÇA E O DA PAIXÃO. SEMPRE ENCONTRAMOS ESSA ENCRUZILHADA. E, TODOS OS DIAS, FAZEMOS UMA ESCOLHA.

A ENCRUZILHADA

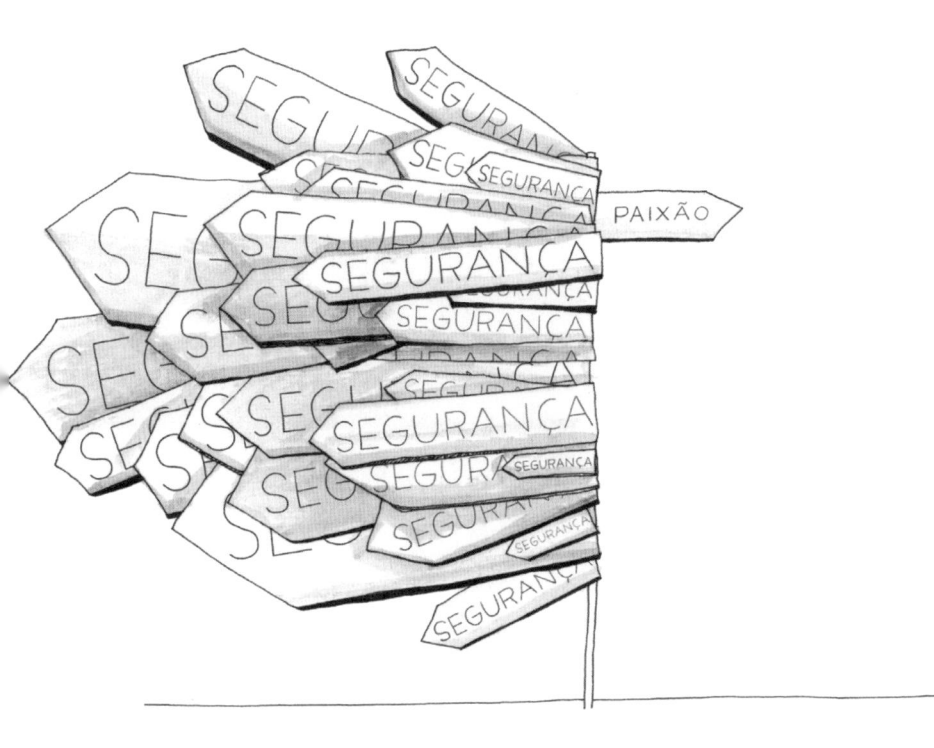

A segurança é a estrada que as outras pessoas querem que a gente escolha. É como esperam que a gente viva a nossa vida.

Pense nas expectativas que as pessoas jogam em cima de nós. Às vezes são coisas pequenas, aparentemente inofensivas, como "Você deveria ouvir aquela música...". Em outras ocasiões, são sistemas de pensamento muito influentes, que nos pressionam e nos obrigam a viver de um jeito diferente do que gostaríamos.

Quando escolhemos esse caminho, optamos por viver para alguém ou por algo – e não por nós mesmos. Na verdade, essa é uma estrada bem cômoda; as recompensas podem parecer boas e as opções costumam ser variadas.

EU SOU AS ESCOLHAS QUE FAÇO

A paixão é diferente.

Chamo de paixão aquilo que nos move, aquilo em que acreditamos e que fazemos quando estamos a sós com nosso eu mais verdadeiro. É o que toca mais fundo dentro de nós. É o que desejamos com toda a nossa alma. É aquilo que *precisamos* fazer para nos sentirmos completos e realizados. São nossas convicções, nossos anseios e nossos desejos mais fortes – inevitáveis, inegáveis e inexplicáveis. Ao contrário da segurança, a paixão não aceita meios-termos.

Escolhemos a paixão quando paramos de nos conformar com os ideais dos outros e começamos a nos conectar com os nossos próprios interesses – e isso nos permite cultivar nosso pleno potencial como indivíduos. Isso requer trabalho duro e esforço constante. Significa embarcar numa viagem sem mapa nem garantias e dizer sim ao que Joseph Campbell chamou de "experiência de estarmos vivos, de modo que nossas experiências no plano físico tenham ressonância no interior de nosso ser e de nossa realidade última, e que realmente sintamos o arrebatamento de estarmos vivos".

Escolher o caminho do que faz nosso coração bater mais forte é a decisão mais importante que podemos tomar na vida.

> VOCÊ DEVERIA PINTAR IGUAL A TODO MUNDO.
>
> PAIXÃO

Vincent van Gogh seguiu sua paixão quando continuou a pintar telas e mais telas, embora o mundo rejeitasse sua arte. Durante a vida, não recebeu qualquer reconhecimento pela maior parte de sua obra. Isso pode ser difícil de compreender em nosso mundo hiperconectado, repleto de curtidas, comentários e seguidores. Como deve ser passar completamente em branco? Em uma carta ao irmão Theo, em 1882, ele descreveu essa sensação:

"AOS OLHOS DA MAIORIA DAS PESSOAS, EU SOU ALGUÉM QUE NÃO TEM POSIÇÃO NA SOCIEDADE E NUNCA VAI TER — UM ZÉ-NINGUÉM, UM EXCÊNTRICO. EM RESUMO, A MAIS BAIXA DAS CRIATURAS. TUDO BEM, ENTÃO. MAS, MESMO QUE ISSO FOSSE VERDADE, EU DEVERIA QUERER MOSTRAR POR MEIO DO MEU TRABALHO O QUE UM EXCÊNTRICO, UM ZÉ-NINGUÉM COMO EU, TEM NO CORAÇÃO."

VINCENT VAN GOGH

Um advogado de 30 e poucos anos escolheu a paixão ao acordar às 5h da manhã todos os dias, durante anos, para escrever contos sobre crimes apavorantes e bandidos malvados antes de sair para cumprir suas obrigações no fórum.

Ao final de três anos equilibrando a escrita e o direito penal, ele transformou suas histórias em um livro e o enviou a algumas editoras. A paixão foi a razão por que, mesmo sendo rejeitado pelos editores, o advogado/escritor continuou tentando até que finalmente recebeu um sim – e é o motivo por que hoje John Grisham é um nome tão famoso.

Um pequeno grupo de empreendedores em São Francisco também insistiu em seus sonhos apesar das dificuldades. Seu projeto – um serviço inédito de aluguel chamado AirBedAndBreakfast.com – estava ficando sem dinheiro e a ideia não estava deslanchando, então os empreendedores tiveram uma ideia maluca: criar caixas de cereal com a marca Airbnb e vendê-las na Convenção Nacional do Partido Democrata de 2008.

A equipe criou uma charge de Obama, encontrou um fabricante de cereais na Califórnia, fechou as caixas uma a uma com cola quente, numerando-as de 1 a 500, e vendeu cada uma na internet, por 40 dólares, como obra de arte. As caixas colecionáveis foram parar na CNN, no programa matutino de entrevistas *Good Morning America* e por toda a imprensa. "Com esperança em cada tigela", a equipe capenga do Airbnb encontrou uma maneira de ganhar dinheiro rápido apesar de todos os parâmetros concebíveis lhes dizerem que seria conveniente desistir.

MAS, SE A
PAIX
É TÃO FANTAS
POR QUE NÃO
TODOS O

ÃO

ICA ASSIM,

ESCOLHEMOS

DIAS?

PARTE II

O QUE DEVE

VOCÊ

FAZER

DESDE O MOMENTO EM QUE NASCEMOS NOS DIZEM O QUE DEVEMOS FAZER.

Você precisa crescer sob as asas de alguém. É um processo natural e saudável que os pais ensinem aos filhos o caminho da segurança e da conveniência. Isso porque você – a criança – precisa aprender a navegar pelo mundo. Além do que recebe dos pais, você também herda uma visão de mundo da sua comunidade, da cultura e da época em que nasceu. À medida que cresce, se torna capaz de decidir o que pensa a respeito dessa visão de mundo. É normal se tornar independente, encontrar sua própria voz, suas convicções e opiniões – e confrontar as convenções que jogaram em seus ombros e que já não lhe servem mais. No entanto, às vezes ficamos presos a elas mais tempo do que o necessário.

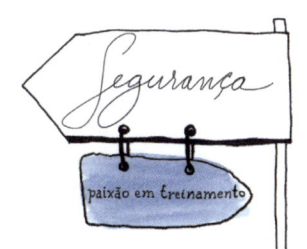

Às vezes, por muito tempo.

Podemos até ficar adultos e continuar vivendo dessa forma, regidos por regras que não avaliamos de modo consciente.

"VOCÊ JÁ OUVIU FALAR DE GURDJIEFF?", PERGUNTOU UM AMIGO. "ELE FOI UM MESTRE ESPIRITUAL DA VIRADA DO SÉCULO XX. UM DIA, FEZ UMA PERGUNTA A SEUS ALUNOS: SE UM PRISIONEIRO QUER FUGIR DA PRISÃO, QUAL É A PRIMEIRA COISA QUE ELE PRECISA SABER?"

"ELE PRECISA SABER QUEM É O GUARDA", RESPONDEU UM ALUNO. "PRECISA SABER ONDE ESTÁ A CHAVE", SUGERIU OUTRO.

"NÃO", DISSE GURDJIEFF, "A PRIMEIRA COISA QUE VOCÊ PRECISA SABER SE QUISER FUGIR DA PRISÃO É QUE *ESTÁ NA* PRISÃO. ATÉ DESCOBRIR ISSO, É IMPOSSÍVEL FUGIR."

O QUE VOCÊ DEVE FAZER

Se você desejar viver sua vida com plenitude – se desejar ser livre –, primeiro precisa entender por que não *está* livre. A palavra prisão vem do latim *prehendere*, que significa tomar, agarrar, capturar. Uma prisão não precisa ser um lugar físico; pode ser qualquer coisa que a sua mente cria. O que aprisiona você? O processo natural de socialização exige que o indivíduo seja influenciado por determinadas convenções para aprender a fazer parte da comunidade. No entanto, à medida que crescemos, precisamos questionar esses condicionamentos herdados, essas ideias preconcebidas do que *deveríamos fazer*.

Se quiser seguir os seus sonhos, é necessário conhecer sua zona de conforto. Isso dá trabalho. *Muito trabalho*. De forma inconsciente, nos aprisionamos como uma maneira de evitar nossos medos mais primitivos. Escolhemos a segurança porque optar pela paixão é apavorante. Nossa prisão é construída por uma vida inteira de expectativas, regras, convenções, conveniências – aquelas escolhas que o mundo espera que façamos e com as quais concordamos sem que nos demos conta. São os muros que nos afastam de quem somos de verdade. A segurança vigia a porta para não deixar a paixão entrar. Mas, como é você quem cria a sua prisão, você pode se libertar.

VOCÊ M
DEVERIA
VOCÊ DEVER
VOCÊ
SABER QU
VOCÊ DEVERI

NCA

SEMPRE
DEVERIA

SER MAIS

O QUE FAZER PARA SAIR DA ZONA DE CONFORTO?

Sair da zona de conforto é difícil e leva tempo. Antes de tudo, é necessário entendê-la e conhecê-la na *intimidade*. Precisamos saber qual é a sua origem e quando começou a fazer parte de nosso processo de tomada de decisões. Descubra que padrões e escolhas – tanto as pequenas quanto as grandes – costumam ser afetadas. Com que frequência colocamos a culpa nos outros, no trabalho ou nas situações quando o problema real, a dor verdadeira, está dentro de nós? Quantas vezes vamos embora irritados, frustrados e tristes, carregando inconscientemente os mesmos padrões de pensamentos para um novo contexto – o próximo relacionamento, o próximo emprego, a próxima amizade –, com a esperança de alcançar um resultado diferente? Enquanto não rompermos esse cordão de segurança à nossa volta, o padrão vai se repetir.

Se você está pronto para conhecer as crenças que influenciam as decisões do seu dia a dia, vou lhe mostrar um caminho.

Pegue um pedaço de papel, copie a lista da página anterior e complete as lacunas, fazendo uma lista das coisas que o mundo espera de você. Pode adicionar outros itens ou repetir algum se for necessário. Escreva o que primeiro lhe vier à cabeça, sem pensar muito. Mesmo que na hora não faça sentido, saiba que ali existe um grão de verdade que vale a pena capturar.

Olhe para a sua lista, item por item, e faça estas três perguntas:

O QUE VOCÊ DEVE FAZER

DE ONDE
VOCÊ VEIO?

VOCÊ É
VERDADEIRO
PARA MIM?

SERÁ QUE EU
QUERO CONTINUAR
APEGADO A VOCÊ?

"É a sua vida, mas só se você fizer com que seja. Os padrões que regem a sua vida devem ser seus, seus próprios valores e suas próprias convicções em relação ao que é certo e o que é errado, o que é verdadeiro e o que é falso, o que é importante e o que é inútil."

ELEANOR ROOSEVELT
ATIVISTA

O QUE VOCÊ DEVE FAZER

Eu precisei de ajuda para fazer essa autoanálise. Durante a vida inteira, sempre senti que havia um estigma pesado em relação a psicólogos, terapeutas e autores de autoajuda. Quando uma pessoa fazia terapia, isso parecia indicar que havia algo de errado com ela. Nada pode estar mais longe da verdade. A falta de incentivo à saúde psicológica é uma das principais fontes de infelicidade, insatisfação e sofrimento.

Quando você examina suas amarras, faz a escolha consciente de conhecer sua prisão – as expectativas dos outros, os sistemas de crenças em que está inserido mas com os quais não concorda, e todas as coisas que aceitou fazer sem se dar conta. Fazer uma lista dessas pode obrigá-lo a encarar alguns de seus medos mais profundos, então talvez seja sensato procurar a ajuda de profissionais treinados para lidar com essas questões. Ter um terapeuta para ajudar nos problemas do dia a dia é como ter um *personal trainer* na academia, só que, em vez de malhar seus músculos, o terapeuta "malha" o órgão que *acredita* ser o responsável por tudo – seu cérebro – e a fonte que *realmente* é responsável por tudo – sua alma.

Também existem recursos para ajudar. O teste de personalidade Eneagrama, por exemplo, é uma poderosa ferramenta que promove o autoconhecimento. Ao se compreender melhor, você se torna ciente dos padrões que repete de maneira inconsciente. Eu o utilizo com o meu terapeuta. Outro método eficiente é a Técnica da Cadeira Vazia, que foi desenvolvida na década de 1940 como parte da terapia Gestalt. Você só precisa de duas cadeiras e quinze minutos.

EU SOU AS ESCOLHAS QUE FAÇO

A CADEIRA VAZIA

Encontre um local isolado e coloque duas cadeiras, uma de frente para a outra. Sente-se em uma delas. Isso pode parecer uma bobagem, mas, pode acreditar, funciona melhor assim do que quando é feito só na sua cabeça.

O QUE VOCÊ DEVE FAZER

Seu objetivo básico nesse exercício é bater um papo consigo mesmo. Você pode usar essa técnica para refletir sobre qualquer assunto, mas, neste caso, vai colocar seus desejos e seus temores para conversar.

Quando você sentar na primeira cadeira, personificará suas paixões – a parte de você que é movida por seus anseios, suas intuições e seus sentimentos. À sua frente está a necessidade de conforto e segurança – a parte de você que escolhe levar a vida de formas que não estão de acordo com sua verdade pessoal.

Faça as perguntas que quiser. Como se sente ao encarar seus carcereiros? Fica irritado? Agradecido? Louco de raiva?

Depois de ter dito tudo o que precisava, passe para a outra cadeira. Agora assuma o papel da segurança fazendo perguntas para a paixão. Responda às perguntas, defenda-se, fique com raiva, grite, faça o que precisar – sinta tudo, expresse tudo. Quando chegar ao fim, levante-se, troque de cadeira novamente e continue o diálogo. Você vai saber quando estiver na hora de encerrar. O exercício pode ser tão longo ou tão curto quanto for necessário; mas tente começar com pelo menos dez minutos.

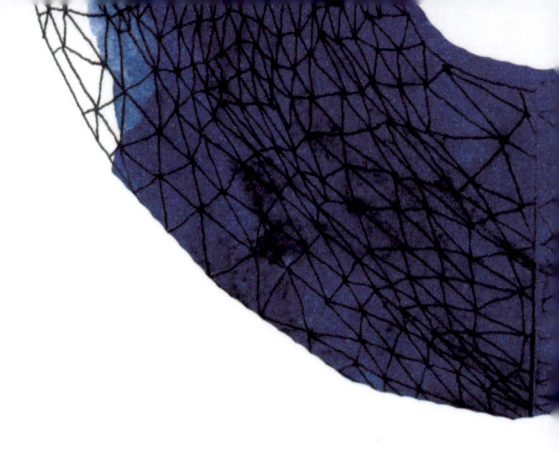

Não é fácil examinar nossas fraquezas. É doloroso, demorado e, durante o processo, é provável que você fique vulnerável e irritadiço. Talvez até aprenda a notar quando outras pessoas estiverem passando por dores do crescimento na vida, se fechando e se retraindo. Isso acontece porque o processo de transformação é exaustivo.

A cobra é um antigo símbolo sagrado da transformação. Para crescer, ela precisa trocar de pele. Esse processo é cruel, mas necessário à sobrevivência. O interior da cobra cresce demais, e ela precisa remover a camada exterior que a restringe.

A cobra se esfrega e se arranha, sentindo que algo não está bem. Sua coloração torna-se azulada. Se por algum motivo não consegue se livrar da pele, a cobra fica desnutrida, pode ficar cega, e acaba morrendo, devido à incapacidade de crescer.

Mas, quando consegue concluir o processo, a cobra renasce mais forte e saudável – uma nova encarnação.

O ciclo das mudanças na vida representa o renascimento e a renovação constantes, o enigmático poder que a vida tem de driblar a morte. É uma metáfora para a experiência que você, um ser humano capaz de crescer e se transformar de forma milagrosa, tem a oportunidade de viver.

Sidarta ficou parado por um instante e um calafrio tomou conta dele. Tremeu por dentro como um animalzinho, feito um passarinho ou uma lebre, quando percebeu quão sozinho estava. Fazia anos que não tinha onde morar, mas nunca se sentira assim. Agora sentia. Antes, quando estava em meditação profunda, continuava sendo o filho de seu pai, um brâmane de alta posição, um homem religioso. Agora, era apenas Sidarta, o desperto; mais nada. Respirou fundo e, por um momento, estremeceu. Ninguém estava tão só quanto ele. Ele não era nobre, não pertencia a nenhuma aristocracia, não era nenhum artesão pertencente a alguma guilda, que tivesse encontrado refúgio nela, compartilhando sua vida e sua linguagem... Mas a que lugar ele pertencia? Que vida poderia compartilhar? Que linguagem poderia falar?

Naquele momento, quando o mundo a seu redor se desfez, quando ele ficou sozinho como uma estrela nos céus, foi acometido por uma sensação de desespero gélido, mas com mais certeza do que nunca de quem ele era. Esse foi o último calafrio de seu despertar, a última dor do parto. Imediatamente, seguiu em frente e começou a caminhar rápido e com impaciência, já não mais na direção de casa, não mais para seu pai, não mais olhando para trás.

HERMANN HESSE, *SIDARTA*

PARTE III

O QUE PRECISA

VOCÊ

FAZER

> SOMOS NÓS QUE CRIAMOS O CAMINHO ATÉ NOSSOS SONHOS. NO COMEÇO NÃO HÁ CAMINHO, É UM NADA, UM VAZIO — UMA TÁBULA RASA, COMO ARISTÓTELES CHAMOU.

"Se você consegue ver a estrada muito bem delineada à sua frente, saiba que essa não é a sua estrada", disse Joseph Campbell. "Seu caminho é você quem faz, passo a passo. É por isso que é seu."

A tábula rasa é a página em branco, um rolo novo de filme, uma tela imaculada, não comprometida. O termo não se aplica apenas aos objetos da nossa criação; também é um estado mental em que não há roteiro – um lugar onde não há mapa, nem estudo de caso, nem resposta certa, e a única pessoa que pode decidir o que fazer a seguir é você.

MAS E S
NÃo So
É A MIN

E EU
UBER QUAL
HA PAIXÃO?

A própria noção de paixão – a ideia de que você *deveria ter* uma – pode ser um obstáculo. É um sentimento esmagador.

COMO ENCONTRÁ-LA?

É desanimador.

E SE ELA MUDAR COM O TEMPO?

É opressivo, até.

SERÁ QUE TODO MUNDO TEM UMA?

Pensar que você vai descobrir qual é a sua paixão ou sua vocação de uma hora para outra é como acreditar que pode escrever um livro só com a força do pensamento. Mas, fazendo um pouquinho todos os dias – *pegando a caneta, escrevendo um parágrafo, fazendo uma lista de palavras-chave* –, é possível encontrar dentro de você aquilo que faz seu coração vibrar.

As páginas seguintes apresentam pequenas atividades que você pode fazer em menos de dez minutos por dia para encontrar sua verdade interior.

Não há lugar em que sua essência se apresente com mais pureza do que na infância.

Como você era quando criança? O que gostava de fazer? Era solitário ou preferia estar rodeado de pessoas? Era independente ou colaborador? Prático ou sonhador?

Se não se lembra, ligue para sua mãe ou para alguém que o conhecesse bem quando era pequeno e peça que lhe conte um pouco sobre como era seu jeito naquela época. Tome notas em um pedaço de papel e guarde-o. Essas histórias abrigam as primeiras sementes das suas verdadeiras paixões.

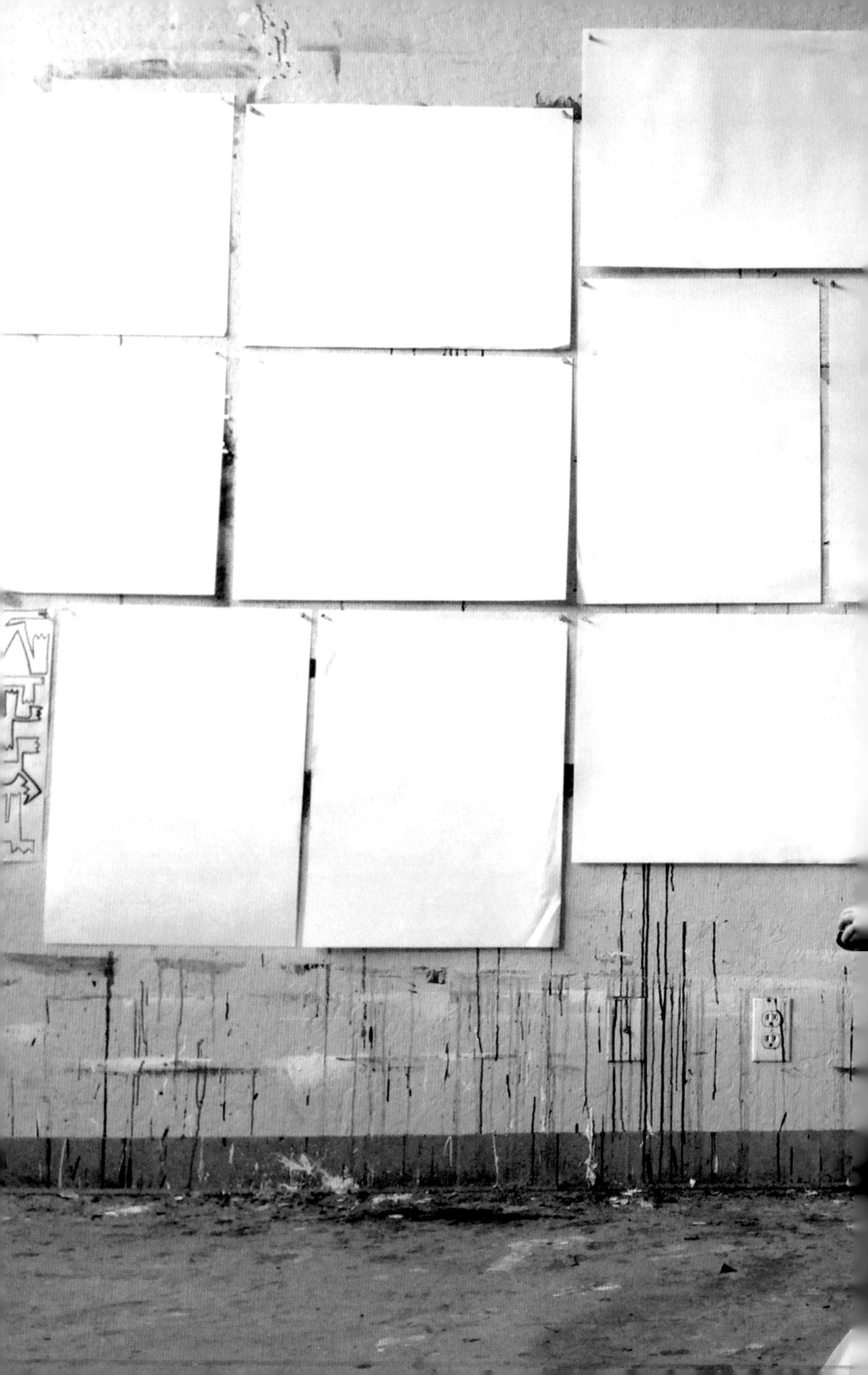

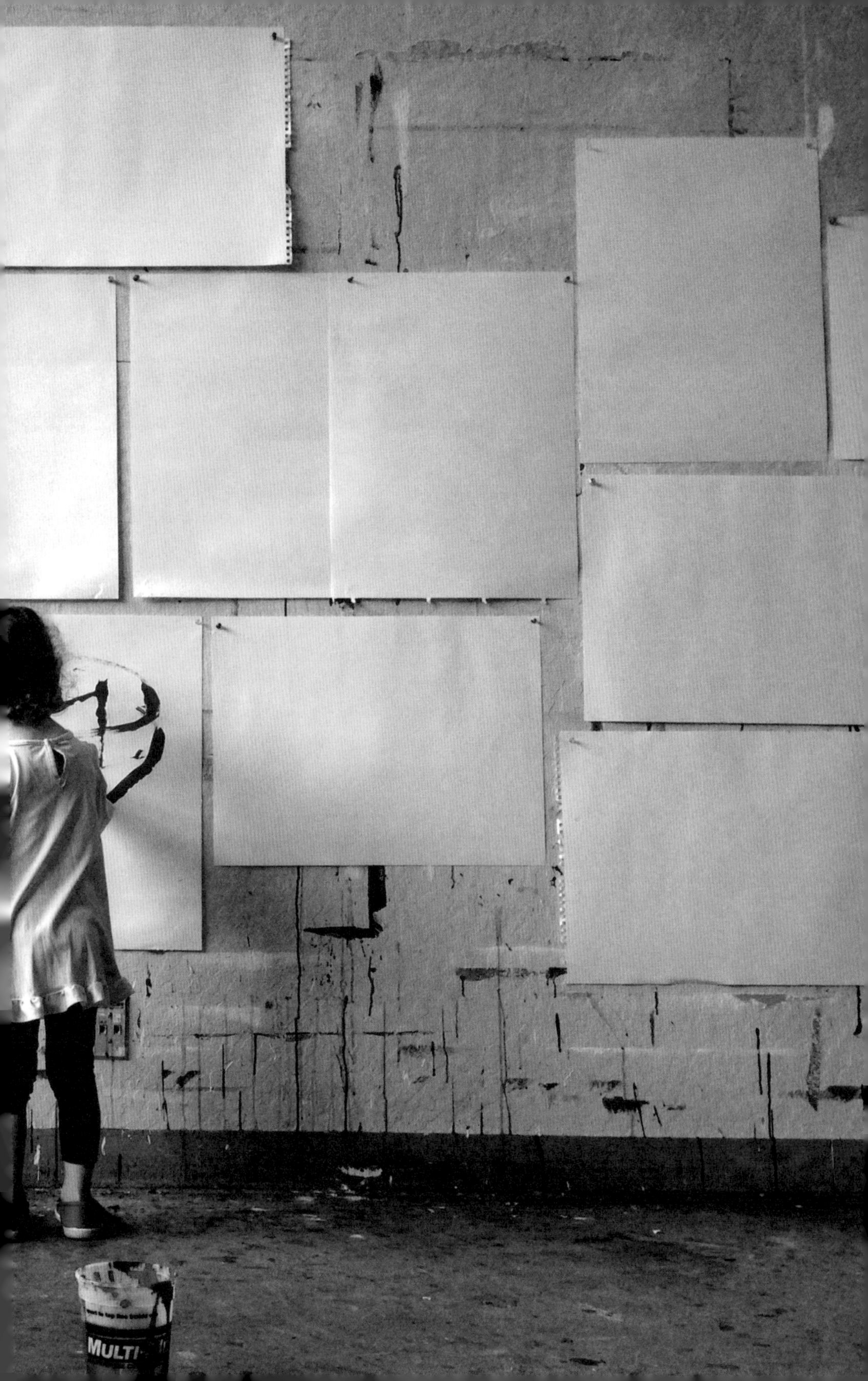
MULTI

OLHE PARA DENTRO

Sua paixão está sempre com você, onde estiver, não importa o que esteja fazendo. Ela é você. Às vezes ela pode parecer muito distante, mas é só impressão. Pode ser que você simplesmente ainda não a esteja enxergando.

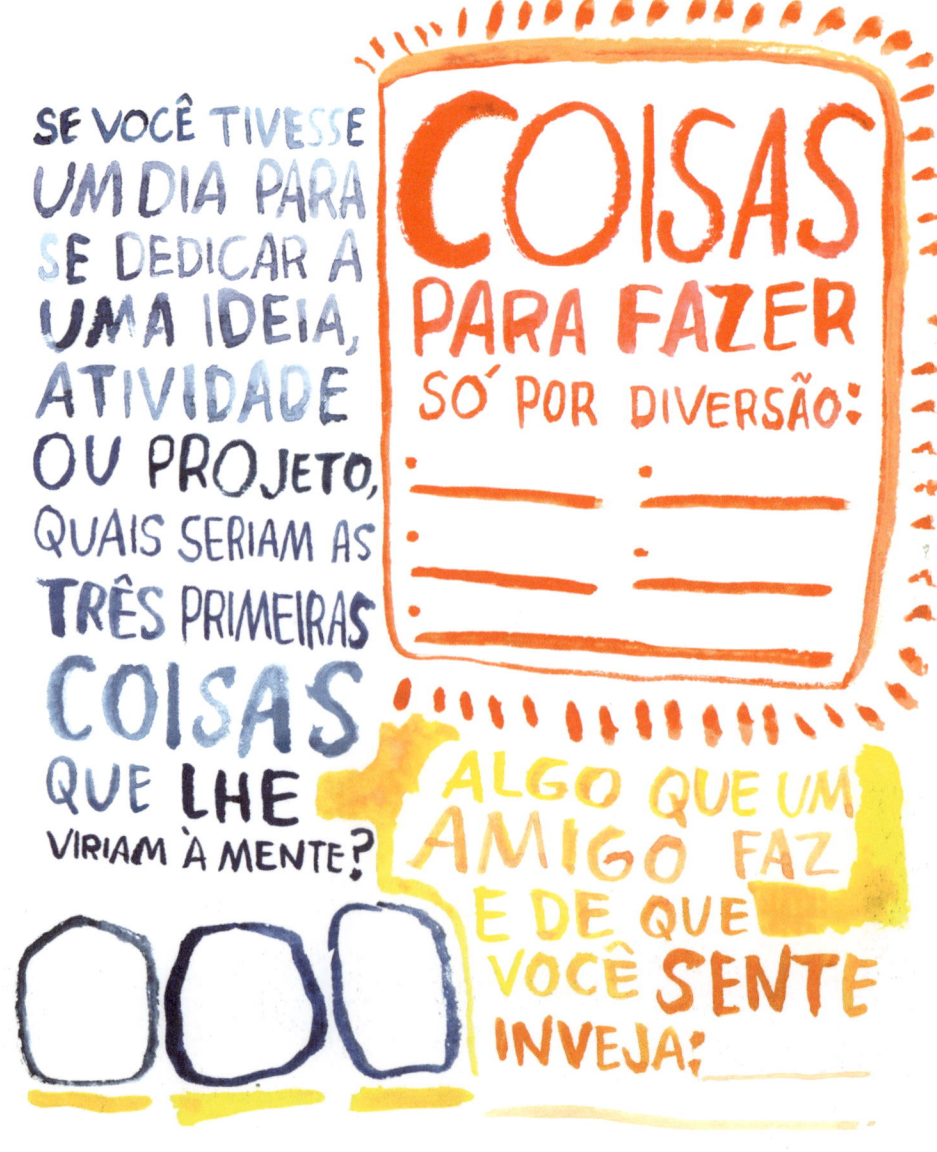

SE VOCÊ TIVESSE UM DIA PARA SE DEDICAR A UMA IDEIA, ATIVIDADE OU PROJETO, QUAIS SERIAM AS TRÊS PRIMEIRAS COISAS QUE LHE VIRIAM À MENTE?

COISAS PARA FAZER SÓ POR DIVERSÃO:
_____ _____
_____ _____
_____ _____

ALGO QUE UM AMIGO FAZ E DE QUE VOCÊ SENTE INVEJA: _____

COISAS QUE VOCÊ FAZ QUANDO ESTÁ ENROLANDO

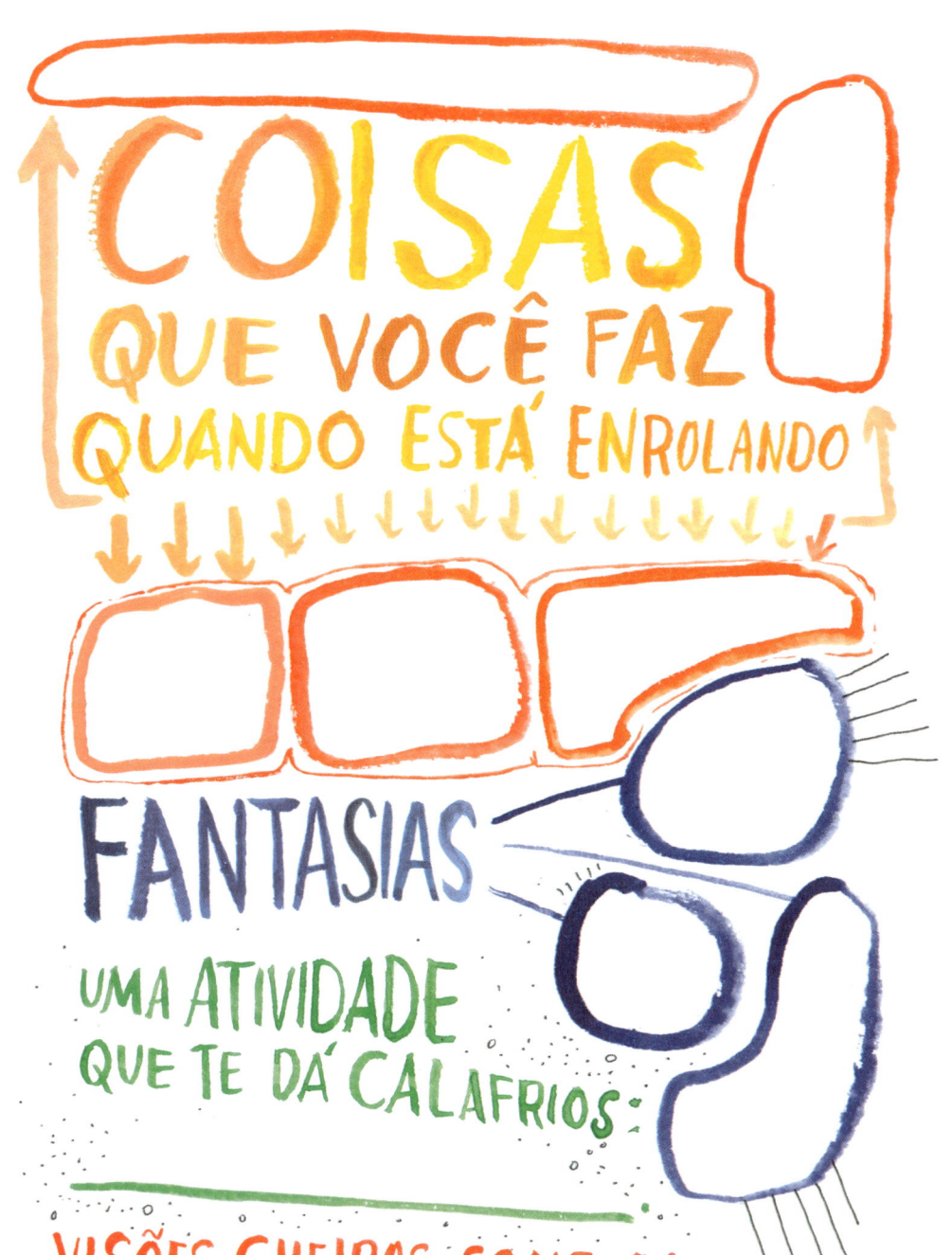

FANTASIAS

UMA ATIVIDADE QUE TE DÁ CALAFRIOS

VISÕES, CHEIROS, SONS OU SENSAÇÕES QUE TE DÃO UM FRIOZINHO NA BARRIGA...

ESCREVA SEU OBITUÁRIO

OS DOIS OBITUÁRIOS

Roz Savage tinha 33 anos, era consultora na área de administração e vivia bem em Londres quando parou para escrever as duas versões de seu obituário:

> A primeira era a vida que eu queria ter. Pensei nos obituários que eu gostava de ler, nas pessoas que admirava, nas pessoas que realmente sabiam viver. A segunda versão era o obituário para o qual eu estava me encaminhando – uma vida convencional, comum, agradável. A diferença entre os dois era espantosa. Obviamente, algo precisava mudar. Senti que estava começando a entender algumas coisas. Eu me sentia uma carpinteira, com um jogo de ferramentas novinhas, mas sem madeira para trabalhar. Precisava de um projeto. Então decidi atravessar o Atlântico a remo.

Escreva duas versões do seu obituário em dois pedaços de papel. Não se preocupe em ser objetivo demais. Pense em como sua vida vai progredir se continuar como está. Depois considere o que você escreveria se passasse a viver de acordo com as suas verdadeiras paixões.

ADQUIRA UMA NOVA HABILIDADE POR MÊS

Todo mês escolha algo diferente para fazer.

SAIA PARA NADAR

APRENDA SOBRE SAQUÊ

PLANTE BANANEIRA

Pode parecer que as suas atividades não estão relacionadas, mas, com o tempo, seus interesses vão se integrar e nutrir uns aos outros, porque eles têm um elemento em comum: você. O designer Charles Eames gostava de dizer: "No fim, tudo se conecta." E isso é verdade.

À medida que for experimentando novas atividades, tome notas sobre elas em um lugar reservado só para isso: um caderno, uma agenda ou uma pasta no seu computador.

PROCURE PADRÕES

Pendure suas anotações – listas, obituários, novas habilidades – em um lugar onde a coleção possa crescer e você possa vê-la com facilidade.

Procure padrões, conexões e temas recorrentes. Você prefere trabalhar em dupla? Detesta ficar sentado o dia todo? Acha que o estímulo sensorial é importante para o seu processo criativo? Anote quando começarem a surgir conexões entre atividades que aparentemente não têm qualquer ponto em comum. Vá incluindo novas ideias conforme elas forem surgindo. Quando algo lhe passar pela cabeça, agarre. E então saia, experimente e brinque com o que está aprendendo. Compartilhe suas ideias com amigos de confiança. Ouça a opinião deles e continue o processo até perceber que está no caminho para descobrir o que realmente motiva você.

OBITUÁRIO ATUAL 1
OBITUÁRIO 2
COISAS QUE EU GOSTAVA DE FAZER QUANDO CRIANÇA
FANTASIAS & SONHOS LOUCOS
ATIVIDADES QUE ME DÃO ARREPIOS:
ATIVIDADES DE EXPLORAÇÃO DE UM DIA:
NOVAS HABILIDADES
ARTESANATO
Leitura DINÂMICA
CULINÁRIA
DAR MAIS ABRAÇOS
CORRIDA DE CARRO
DESENHO
PESQUISA

EU SOU AS ESCOLHAS QUE FAÇO

"OS DOIS DIAS MAIS IMPORTANTES DA SUA VIDA SÃO O DIA EM QUE VOCÊ NASCE E O DIA EM QUE DESCOBRE POR QUÊ."

MARK TWAIN
ESCRITOR

O QUE VOCÊ PRECISA FAZER

Depois que você descobre o que quer fazer de verdade da vida – ensinar... construir uma família... escrever... trabalhar com arte... levar pessoas à Lua – fica difícil, se não impossível, pensar em outra coisa. Quando você sabe por que está aqui, qual é a sua missão na Terra, fica difícil voltar para a vida de antes e sentir-se satisfeito. É por isso que muitas vezes evitamos admitir o que queremos. É por isso que os nossos desejos mais profundos podem passar tanto tempo escondidos. E é por isso que esta jornada é fascinante, inebriante e intimidadora.

EU SOU AS ESCOLHAS QUE FAÇO

ANOTE SUA PAIXÃO

Em um papel. Em um jornal. Em um guardanapo usado. E depois...

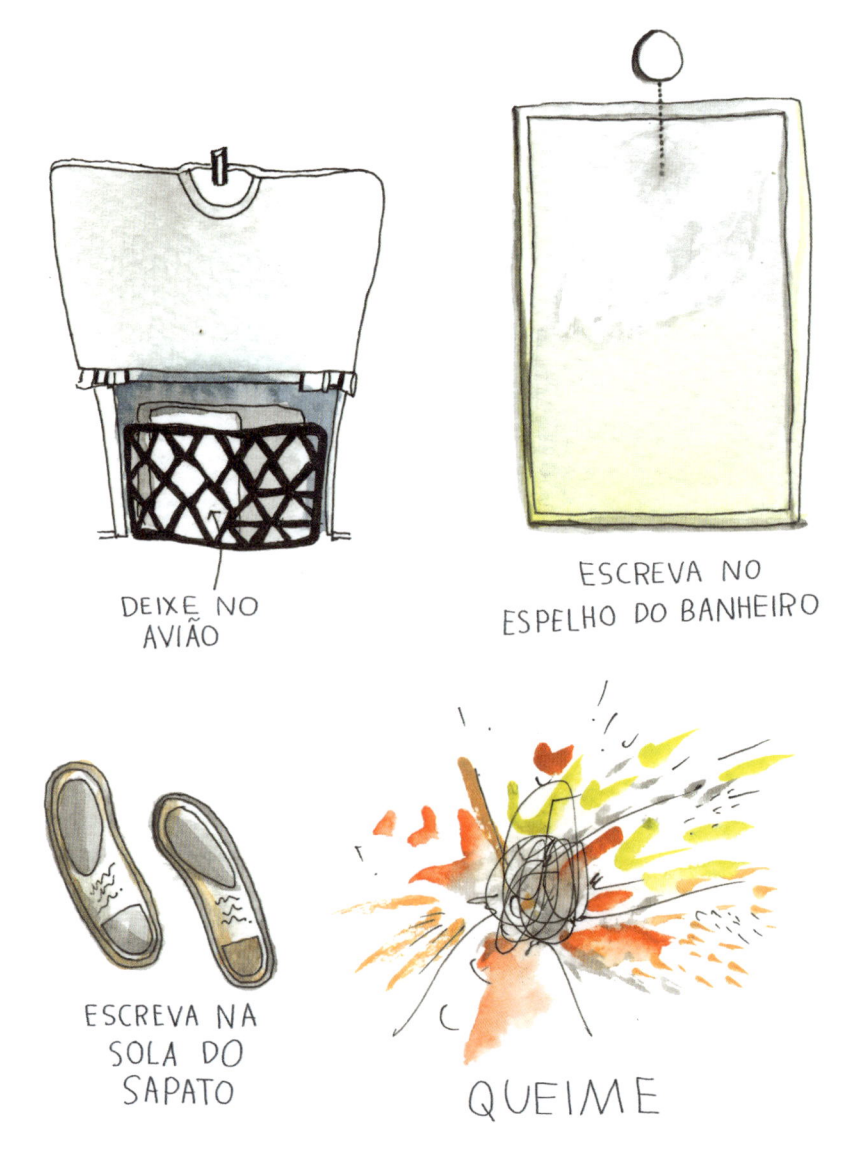

DEIXE NO AVIÃO

ESCREVA NO ESPELHO DO BANHEIRO

ESCREVA NA SOLA DO SAPATO

QUEIME

O QUE VOCÊ PRECISA FAZER

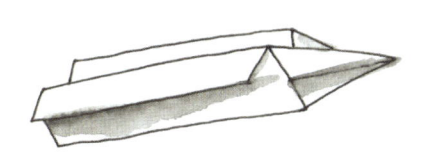

MANDE PARA ALGUÉM

PRENDA EM UM BALÃO

SUSSURRE PARA UM INSETO

PENDURE NO QUADRO DE AVISOS DE UM CAFÉ

TRANSFORME NO SEU PROTETOR DE TELA

ENTERRE

COSTURE DENTRO DA BOLSA

"UM MÚSICO
MÚSICA. UM
PINTAR. UM
PRECISA ESC
FICAR EM P
CONSIGO M
PRECISA S
ELE PREC

"Um músico precisa fazer música, um artista precisa pintar, um poeta precisa escrever. Se quiser estar em paz de verdade consigo mesmo, o homem precisa ser aquilo que tem capacidade para ser."

ABRAHAM MASLOW
psicólogo

EU SOU AS ESCOLHAS QUE FAÇO

EU SEI
MINHA
E

QUAL É A PAIXÃO... AGORA?

Quando descobrimos o desejo que nos move, o centro mais primitivo e protetor do nosso cérebro soa um alarme. A tropa de choque é chamada e os mecanismos de defesa ficam a postos – afinal, escolher seguir a paixão suscita questões muito reais e assustadoras.

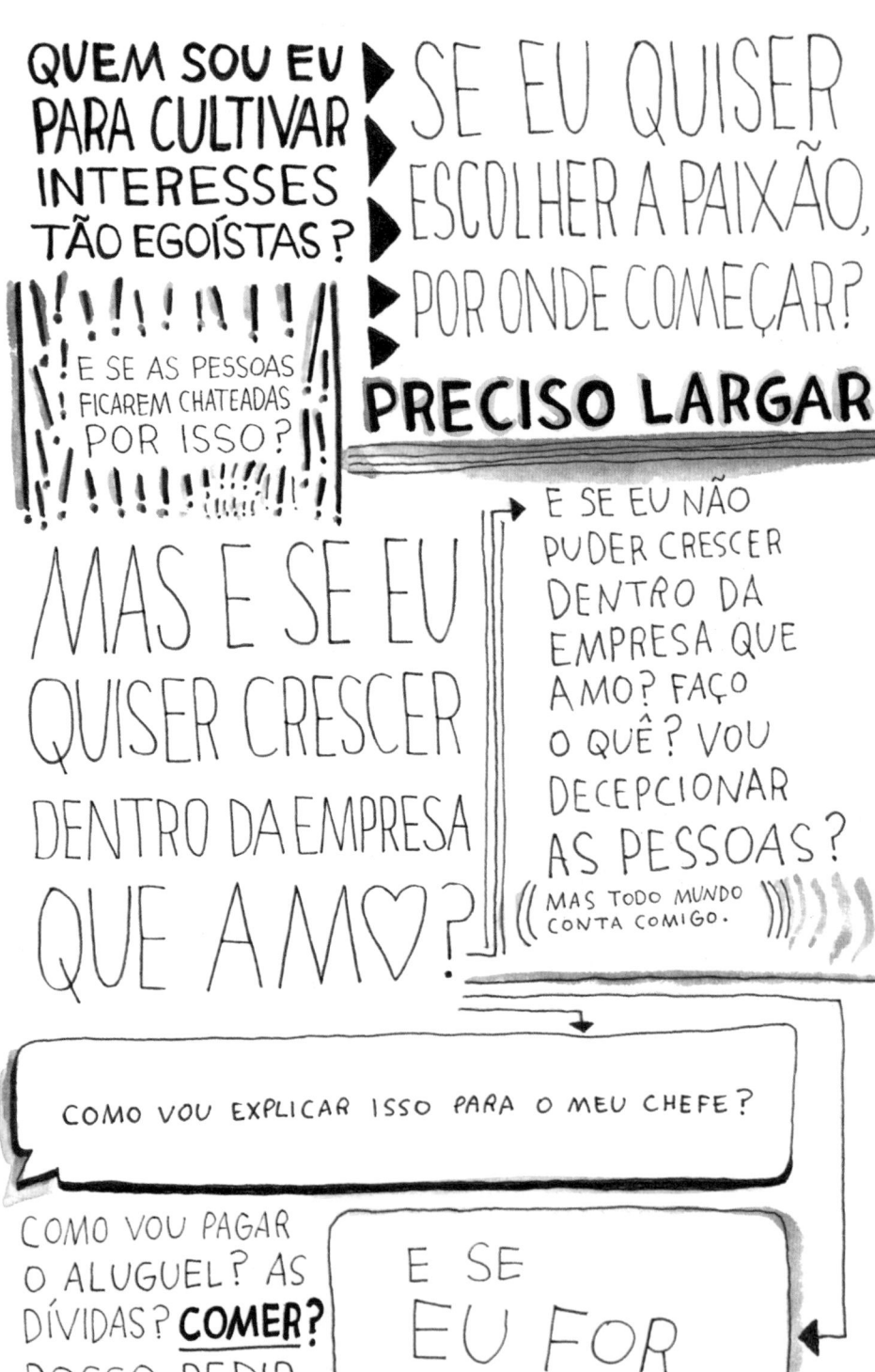

QUEM SOU EU PARA CULTIVAR INTERESSES TÃO EGOÍSTAS?

SE EU QUISER ESCOLHER A PAIXÃO, POR ONDE COMEÇAR?

E SE AS PESSOAS FICAREM CHATEADAS POR ISSO?

PRECISO LARGAR

MAS E SE EU QUISER CRESCER DENTRO DA EMPRESA QUE AMO♡?

E SE EU NÃO PUDER CRESCER DENTRO DA EMPRESA QUE AMO? FAÇO O QUÊ? VOU DECEPCIONAR AS PESSOAS?

(MAS TODO MUNDO CONTA COMIGO.)

COMO VOU EXPLICAR ISSO PARA O MEU CHEFE?

COMO VOU PAGAR O ALUGUEL? AS DÍVIDAS? **COMER?** POSSO PEDIR AJUDA DE UM AMIGO? UM GRUPO? UMA EQUIPE?

E SE EU FOR O CHEFE??!

??? COMO POSSO ARRUMAR MAIS TEMPO NO MEU DIA? QUANTO TEMPO ISSO VAI DEMORAR?

COMO VOU GANHAR DINHEIRO?

MEU EMPREGO?!?

O QUE OS MEUS COLEGAS VÃO PENSAR? MINHA FAMÍLIA? MINHA CARA-METADE?? QUAL É O MELHOR JEITO DE DESCREVER A MINHA JORNADA PARA OS OUTROS? E SE ELES NÃO ENTENDEREM?

E SE EU TENTAR ENCONTRAR MINHA VOCAÇÃO E NÃO CONSEGUIR?

??????????????????

COMO POSSO CRIAR UM ESPAÇO SEGURO PARA EXPLORAR NOVAS POSSIBILIDADES DENTRO DA MINHA REALIDADE DE HOJE?

MINHAS IDEIAS TÊM IMPORTÂNCIA?

SE EU QUISER ESCOLHER A PAIXÃO, PRECISO DE ALGUMA COISA?

COMO POSSO CONCILIAR A BUSCA PELA MINHA PAIXÃO COM AS MINHAS OBRIGAÇÕES ATUAIS?

Vamos ser práticos.

As pessoas costumam citar quatro grandes preocupações quando pensam em um futuro sustentável fazendo aquilo que amam. A primeira é dinheiro.

DINHEIRO

E SE O QUE EU AMO NÃO DER DINHEIRO?

Se você quiser viver neste planeta, vai precisar de dinheiro. Se tiver obrigações, família ou financiamento imobiliário, vai precisar de mais ainda. Então, se fazer o que você ama não for suficiente para pagar suas contas, vai ser necessário arrumar outro meio de ganhar dinheiro. Simples assim. Ser capaz de pagar as contas pode trazer a tranquilidade necessária para você encontrar a sua vocação.

EMPREGO   CARREIRA   VOCAÇÃO

Além de escritor, T.S. Eliot era bancário. O autor Kurt Vonnegut era vendedor de carros. Philip Glass, um dos maiores compositores do nosso tempo, só foi ganhar dinheiro com a sua vocação musical aos 42 anos. Mesmo quando uma de suas obras estreou na Ópera de Nova York, ele continuou trabalhando como encanador e renovou sua licença de taxista, só por via das dúvidas.

Você pode ter um emprego de nove às seis enquanto investe em sua vocação à noite e nos fins de semana. Ou pode se concentrar na sua vocação em tempo integral e ganhar a vida com ela. Há muitas opções, e todas elas valem a pena. Um emprego que só serve para pagar as contas não é menos digno por causa disso. E você não precisa abandonar seu trabalho para seguir sua paixão. Você pode jogar com esses três tipos de trabalho – emprego, carreira e vocação – e decidir o que é melhor para você e sua vida.

Albert Einstein ficou quase dois anos desempregado depois de terminar a faculdade. Quando finalmente apareceu uma oportunidade, era um trabalho burocrático de revisão de patentes, em que ele ficava trancado em uma salinha com vista para um pátio fechado. Na biografia de Einstein, Walter Isaacson escreveu: "Ele passou a acreditar que não era um fardo, mas uma bênção, trabalhar 'naquele pátio mundano onde concebi as minhas ideias mais bonitas'."

VOCÊ, O SEU EMPREGO E O DINHEIRO

- **VOCÊ É PAGO PARA FAZER ALGO QUE AMA!!!!!**
- **VOCÊ É PAGO PARA FAZER ALGO QUE NÃO AMA.**

↓

- MAIS AINDA DAQUILO QUE VOCÊ AMA!!!!!
- VOCÊ ENCONTRA TEMPO PARA FAZER AQUILO QUE AMA À NOITE E NOS FINS DE SEMANA!!!
- VOCÊ NÃO ENCONTRA TEMPO PARA FAZER AQUILO QUE AMA À NOITE E NOS FINS DE SEMANA.

↑ MAIS DO QUE VOCÊ AMA!!!!!

- ENCONTRA UM NOVO EMPREGO OU CARGO QUE LHE PERMITE FAZER MAIS DAQUILO QUE AMA E SER PAGO PARA ISSO.
- ARRANJA OUTRO EMPREGO OU CARGO QUE NÃO AMA, MAS AGORA TEM TEMPO À NOITE E NOS FINS DE SEMANA PARA FAZER AQUILO QUE AMA!!!
- VOCÊ ESQUECE O QUE AMA.

↓

Volte à pág. 42

O QUE VOCÊ PRECISA FAZER

Se você não perder o foco e otimizar seu tempo e sua energia para cultivá-lo da melhor maneira possível, será capaz de continuar fazendo ajustes em sua forma de ganhar dinheiro.

Talvez você seja pago para fazer o que ama. Ou talvez consiga um emprego em que o horário seja bem definido, o serviço não seja exaustivo e você tenha algum tempo livre para buscar aquilo que o faz feliz.

Mas o que não pode acontecer é você ficar num emprego que inicialmente era para pagar as contas e que, de repente, não lhe permite explorar sua paixão porque você está sempre cansado demais. Se por alguma razão terrível você esquecer que o dinheiro é um jogo, pode ser levado de volta para o complexo mundo da comodidade e da segurança. E, nesse caso, a perda não é financeira. O preço a pagar é *você*. Será que vale a pena?

Eu estava trabalhando quando de repente ouvi um BARULHO. Ergui os olhos e vi Robert Hughes, crítico de arte da revista TIME, olhando para mim com cara de espanto. "VOCÊ É PHILIP GLASS! O que está fazendo aqui?"

Era óbvio: eu estava instalando a lava-louça dele e disse que terminaria logo o serviço. "Mas você é um artista", protestou ele. Então eu expliquei que era um artista, mas que também era encanador, e que ele deveria se retirar para me deixar terminar.

Philip Glass
Compositor

EU SOU AS ESCOLHAS QUE FAÇO

QUANTO DINHEIRO É DINHEIRO SUFICIENTE?

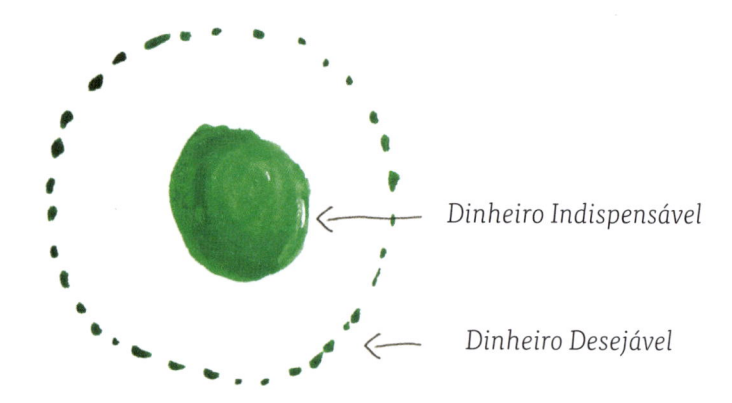

← *Dinheiro Indispensável*

← *Dinheiro Desejável*

Existem dois tipos de dinheiro – o Indispensável e o Desejável. Dinheiro Indispensável é aquela quantia mínima que não podemos correr o risco de ficar sem. Não dá para ir atrás de um sonho de vida se estamos preocupados em não ter o que comer. Em geral, essa quantia é menor do que você pensa. Em seu nível mais básico, inclui alimentação e moradia.

Dinheiro Desejável é o extra, o supérfluo. Com frequência, confundimos os dois tipos de dinheiro. Mas só porque uma coisa tem valor não significa que ela é necessária.

Quais são as coisas que você realmente precisa ter para viver? E as coisas que são bacanas de ter? Um carro é desejável ou indispensável? E um lugar mais seguro para morar? Pagar as dívidas? Viajar? Ter dinheiro para a passagem de ônibus? Contratar uma babá? Ter um espaço para trabalhar?

O dinheiro é um jogo que você pode jogar do jeito que quiser.

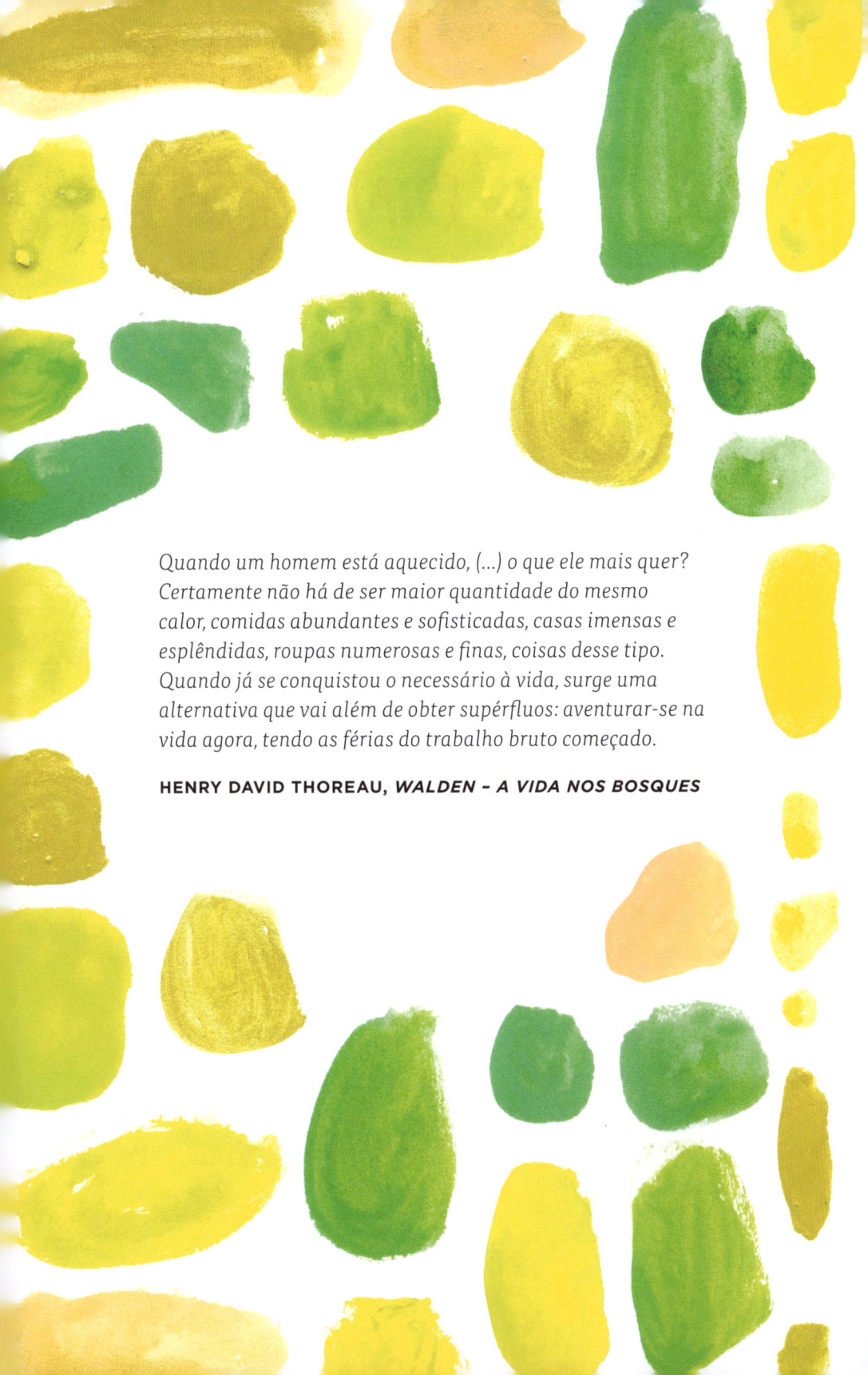

Quando um homem está aquecido, (...) o que ele mais quer? Certamente não há de ser maior quantidade do mesmo calor, comidas abundantes e sofisticadas, casas imensas e esplêndidas, roupas numerosas e finas, coisas desse tipo. Quando já se conquistou o necessário à vida, surge uma alternativa que vai além de obter supérfluos: aventurar-se na vida agora, tendo as férias do trabalho bruto começado.

HENRY DAVID THOREAU, *WALDEN – A VIDA NOS BOSQUES*

EU SOU AS ESCOLHAS QUE FAÇO

ESCOLHER A PAIXÃO VAI ME DEIXAR RICO? SIM.

As pessoas mais ricas que eu conheço têm seus dias e noites preenchidos com as coisas mais valiosas da vida:

ASSISTIR AO PÔR DO SOL

SENTIR O CHEIRO DA CHUVA

PREPARAR OVOS MEXIDOS NUM DIA DE SEMANA

FAZER SEU EXERCÍCIO FAVORITO

RIR ATÉ NÃO PODER MAIS COM UM AMIGO

BEIJAR

TOMAR UM CHÁ ANTES DE DORMIR

O QUE VOCÊ PRECISA FAZER

PREPARAR UMA REFEIÇÃO PARA ALGUÉM ESPECIAL

ESCREVER UM BILHETE À MÃO

CAMINHAR DEVAGAR PARA SENTIR O PERFUME DAS FLORES

COMER UM SANDUÍCHE DE SORVETE

PASSEAR DE BICICLETA SEM RUMO

LEMBRAR-SE DE TODOS OS SEUS SONHOS

LER AS TIRINHAS DE DOMINGO

IR PARA CASA PELO CAMINHO MAIS COMPRIDO

FAZER UMA REUNIÃO DURANTE UMA CAMINHADA

TEMPO

O tempo é o segundo obstáculo no caminho para encontrar sua paixão.

> "VOU TER TEMPO DEPOIS QUE AS COISAS SE ACALMAREM NO ESCRITÓRIO..."

> "...QUANDO AS CRIANÇAS FOREM PARA A FACULDADE..."

Você arruma tempo para o que deseja.

Se não está dando prioridade para as coisas que diz serem importantes para a sua vida, talvez você não se importe tanto com elas assim. Às vezes, a parte mais difícil da busca pela nossa paixão é saber o que queremos. O que você quer? Você sabe?

Certa vez fui a um jantar em que pediram aos convidados que anotassem em fichas os seus sonhos mais loucos. Era para escrever aqueles sonhos malucos que raramente admitimos ter, aqueles que desejamos do fundo do coração.

Escutei pessoas compartilhando sonhos ousados e apavorantes. E, quando chegou a minha vez de falar, olhei para as minhas fichas e vi uma coleção sem graça de sonhos chatos que não faziam a menor diferença para mim.

Fui para casa, pendurei meus sonhos bobos na parede ao lado da cama e tomei a séria decisão de aprimorá-los. Saber o que eu queria exigiu uma sensibilidade aguçada. Comecei a ficar alerta aos meus anseios e desejos – pequenos e grandes. Isso aumentou a minha intuição e me conectou àquela voz dentro da minha cabeça que deseja coisas – coisas doidas, ingênuas, pervertidas, tranquilas. Quanto mais eu a alimentava, mais alto ela falava. Havia fichas espalhadas pelo banheiro, em cima da pia da cozinha, por todo lado. Acontece que, quanto mais intimidade temos com aquilo que desejamos, mais consciência criamos da forma como usamos nosso tempo.

NADAR NA ÁGUA SALGADA

PINTAR UM

APRENDER A ATIRAR COM ARCO E FLECHA

APRENDER

ESCALAR O HIMALAIA

TOCA

ENORME

EXIBIR UM FILME NUM FESTIVAL INTERNACIONAL DE CINEMA

ZINHAR

TER QUATRO GALINHAS

ANO

IR À LUA

"Tenho a ambição de viver 300 anos. Eu não vou viver 300 anos. Talvez eu viva só mais um. Mas tenho essa ambição. Por que você não teria ambição? Por quê? Sonhe o mais alto possível. Você quer ser imortal? Lute para ser imortal. Faça isso. Quer fazer o filme mais fantástico do mundo? Tente. Se fracassar, não importa. A gente precisa tentar."

ALEJANDRO JODOROWSKY
CINEASTA FRANCO-CHILENO

"MAS EU TENHO CINCO FILHOS E UM FINANCIAMENTO IMOBILIÁRIO."

Todos nós temos uma infinidade de obrigações e restrições de tempo, tanto reais quanto imaginárias. A maneira mais eficiente de descobrir sua vocação é dedicando-se a pensar nisso dez minutos por vez. Apesar de a ideia de fugir de todas as obrigações para se concentrar exclusivamente na busca de sua paixão parecer irresistível, a verdade é que a maneira mais sustentável de provocar mudanças é encontrando um pequeno espaço todos os dias em sua rotina para se dedicar a ela. O plano aqui é integrar, não eliminar.

É preciso um esforço diário para encontrar esse tempo. E, quando você o encontrar, pare de ficar pensando sobre o que gostaria de fazer e tome uma atitude. Veja exemplos de onde esse tempo pode estar escondido:

Dez minutos esperando a água ferver – APROVEITE!

Dez minutos de intervalo num programa de TV – APROVEITE!

Dez minutos esperando os filhos na saída da escola – APROVEITE!

O tempo, que poderia ser uma limitação, passa a ser uma dádiva.

"MAS EU NÃO TENH

CASA DOS 20

Ryan e Tina Essmaker tinham 20 e poucos anos quando lançaram o site *The Great Discontent* (O grande descontentamento). Depois de três anos, os dois largaram o emprego e transformaram sua paixão (e a atividade que desenvolviam nas horas livres) numa revista impressa distribuída no mundo todo, com matérias sobre criatividade e riscos.

CASA DOS 30

O cantor e compositor Leonard Cohen era um poeta medíocre até viajar a Nova York para estudar música. Ele fez sua primeira apresentação importante aos 33 anos.

CASA DOS 40

A chef Julia Child fez várias coisas antes de encontrar sua vocação para a culinária. Seu livro *Mastering the Art of French Cooking* (Dominando a arte da culinária francesa) foi publicado quando ela tinha 49 anos. "Na verdade, quanto mais eu cozinho, mais gosto de cozinhar", escreveu ela. "E pensar que demorei quarenta anos para encontrar minha verdadeira paixão (tirando meu gato e meu marido)."

CASA DOS 50

Depois de viajar para Bali e ver o péssimo estado de várias casas javanesas antigas chamadas *joglos*, a arquiteta argentina Alejandra Cisneros usou sua experiência em arquitetura sustentável para recuperar essas estruturas de tanta importância cultural. Com respeito e cuidado, Alejandra e sua equipe estão dando apoio à cultura de Bali, reformando um *joglo* de cada vez.

MAIS IDADE PARA ISSO."

CASA DOS 60

Laura Ingalls Wilder, autora da série de livros Little House, publicou *Uma casa na floresta*, seu primeiro livro, aos 64 anos.

CASA DOS 70

John Glenn se tornou a pessoa mais velha a viajar para o espaço aos 77 anos.

CASA DOS 80

Quando estava com 81 anos, Ginette Bedard participou de sua 12ª maratona consecutiva na cidade de Nova York. Ela começou a correr aos 69 anos. Sobre as maratonas, ela disse: "Vou fazer isso até o destino me levar embora."

CASA DOS 90

A empresa internacional de design IDEO contratou um designer de 90 anos.

CASA DOS 100

Anna Mary Robertson Moses, ou Vovó Moses, como era conhecida, pintou mais de mil quadros nos últimos trinta anos de vida, depois que a artrite impediu que ela continuasse fazendo crochê. Ela começou a pintar e, aos 100 anos, apareceu na capa da revista *Time*.

QUANTO V

PARA

HON

QUEM RE

AI DEMORAR
OCÊ
RAR
MENTE É?

ESPAÇO

"Mas eu não tenho espaço para minha paixão".

O espaço é o terceiro obstáculo no caminho para viver de acordo com seus verdadeiros desejos.

Você pode achar que não tem espaço para si mesmo porque não possui um escritório ou um estúdio. Você de fato precisa de um espaço físico, mas ele pode ser uma mesa na biblioteca pública, um banco de praça, a areia da praia ou, como no caso de minha amiga Sharon, um pequeno canto na sala delimitado com fita crepe!

"Eu precisava do meu próprio espaço de trabalho", contou ela enquanto caminhávamos por sua casa. "Então, fiz isto aqui." Correndo pelo chão, parede acima, pelo teto e de volta para o piso, a fita crepe demarcava um pequeno espaço no canto da sala de estar. Havia uma escrivaninha encostada à parede e, acima dela, uma plaquinha dizendo: "Inspiração." O espaço era inspirador e muito íntimo. Na fita crepe ela escrevera diversas vezes as palavras: "Zona sem julgamentos."

Outra amiga, uma mulher muito ocupada, mãe de dois filhos, certa vez me contou sobre sua prática de acender uma vela para marcar o início de seu ritual diário. Ela usava a hora da soneca das crianças para ler, escrever e se reconectar consigo mesma. Aquele espaço era ao mesmo tempo físico e emocional, um lugar para pensar, para estar presente. Um lugar para silenciar o mundo e se conectar às correntes internas. Ao fim do ritual, ela apagava a vela.

Você precisa de um espaço físico – reservado, seguro e que seja só seu. Quando está nele, você não está disponível ao mundo. Repito, *você não está disponível*. Esse é o seu espaço sagrado para ficar a sós consigo mesmo. Todos nós precisamos de refúgios seguros. De que maneira você pretende criar um espaço seguro onde possa passar algum tempo todos os dias? Que rituais vai estabelecer para marcar o início e o fim desse tempo? Encontre o seu lugar e faça com que seja só seu.

EU SOU AS ESCOLHAS QUE FAÇO

Brinque no seu Espaço!

Quando você busca sua paixão, às vezes acaba criando o caos. As coisas ficam de cabeça para baixo e viradas do avesso, desmontadas e remontadas em novas combinações. É aqui que portas se abrem para mundos inesperados. O que aconteceria se você escrevesse com a mão esquerda? Com os dedos dos pés? Ou com as sobras do jantar? A brincadeira cria novas possibilidades. E uma maneira eficiente de se manter em sintonia com esse espírito lúdico é fazer uma coleção de ferramentas pouco convencionais. Quando você empacar, quando precisar de um empurrãozinho e estiver a fim de ver as coisas sob uma nova perspectiva, está na hora de brincar. Você não precisa ser pintor para usar um pincel nem carpinteiro para usar um martelo. Ao manipular novas ferramentas, você ativa partes da sua mente que se tornaram difíceis de acessar com o passar do tempo.

Eis uma lista incompleta das coisas com as quais você pode brincar:

- MÁQUINA DE FOTOCÓPIA
- LÁPIS
- HIDROCOR
- PINCEL
- SEUS PÉS
- MOLHO DE PIZZA
- LUZ DO SOL
- FOGO
- TERRA
- FOLHAS
- TINTA EM SPRAY
- ELETRÔNICOS DESMONTADOS
- MÁSCARAS
- BOLHAS

TESOURA

BALAS

PIPAS

GIZ DE CERA

BARBANTE

FRUTINHAS

PROJETORES

PÃO DORMIDO

LIMPADOR DE CACHIMBO

SOMBRA

LUZ DE VAGA-LUMES

POÇAS DE CHUVA

MAS, MESMO COM TODAS ESSAS FERRAMENTAS À MÃO, NÓS AS DEIXAMOS DE LADO EM FAVOR DE **UMA SÓ**...

O computador é uma ferramenta poderosa, mas é superestimado na hora de realizar algo. Como escreveu Paul Rand, pai do design gráfico nos Estados Unidos, em seu manifesto *Design, forma e caos*:

> *A linguagem do computador é a linguagem da tecnologia (...), da produção. Ele entra no mundo da criatividade apenas como auxiliar, como uma ferramenta – um equipamento que economiza tempo, um meio para pesquisar, encontrar e executar trabalhos tediosos –, mas não como o ator principal.*

Encha seu kit de ferramentas de objetos que o inspirem a ver as coisas de novas maneiras.

BLAM PISCA EI!
PPPPP SSSST EH!

VOCÊ PRECISA DE ESPAÇO PSICOLÓGICO

BLAM BIP BIP BIP BIP BIP BIP BIP BIP BIP BIP

> Nós precisamos da solidão.

A solidão é o modo como aquietamos o tagarelar incessante da nossa mente. É como criamos a calma necessária e os espaços vazios. A visão precisa de solidão. A liderança precisa de solidão. A coragem precisa de solidão. Porque, quando nossas escolhas nascem de um espaço interior seguro e conhecido, nos tornamos resilientes, ousados e focados.

Qual foi a última vez que você ficou sozinho consigo mesmo? Como foi? O que você sente quando pensa na ideia de ficar sozinho – seja por uma hora ou por um mês?

Eis algumas ideias de como integrar momentos saudáveis de solidão ao dia a dia:

- LAVAR A LOUÇA
- IR A UM TEMPLO FORA DO HORÁRIO DE CULTO 
- VARRER O CHÃO DE MANHÃ
- VER A LUA NASCER 
- MEDITAR 
- DAR UMA CAMINHADA NO FIM DO DIA – SOZINHO

O QUE VOCÊ PRECISA FAZER

AJUSTAR O TIMER PARA NÃO CHECAR O TELEFONE DURANTE MEIA HORA

SENTAR-SE EM SILÊNCIO NA COMPANHIA DE UM AMIGO

CULTIVAR UM JARDIM

TIRAR UM COCHILO

RESPIRAR FUNDO TRÊS VEZES

DORMIR EM MEIO À NATUREZA, LONGE DA TECNOLOGIA

LAVAR UM MAÇO DE ALFACE, FOLHA POR FOLHA

SENTIR O SOL BATENDO EM SEU ROSTO

Apesar de dinheiro, tempo e espaço serem os três obstáculos que as pessoas costumam usar como justificativa para não buscar seus sonhos, há outro medo que as acorrenta. Ele é muito mais assustador e muito menos comentado.

VULNERABILIDADE

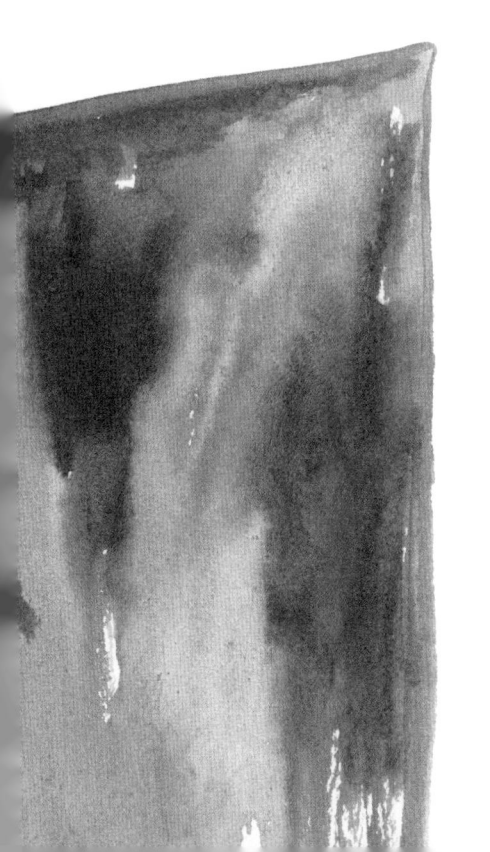

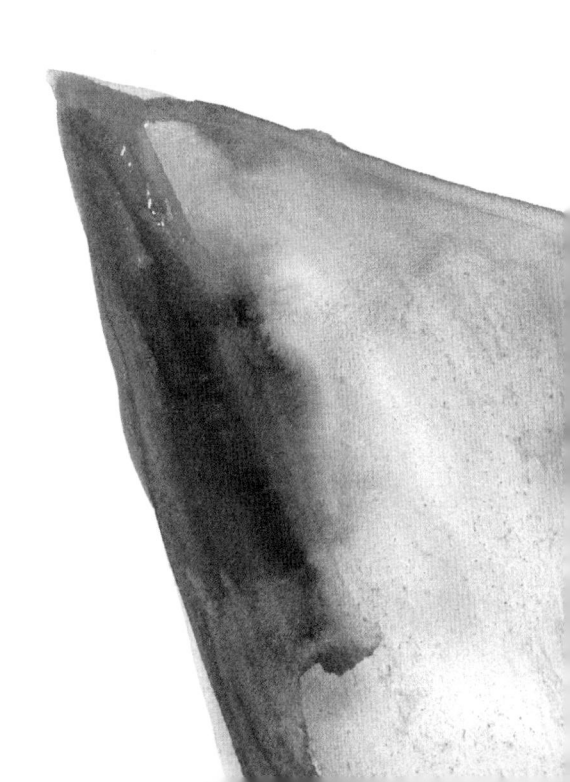

MAS

MAS E SE EU

MAS E SE EU FRACASSAR?

E SE EU NÃO FOR BOM O BASTANTE?

E SE TODO MUNDO RIR DE MIM?

E SE AS PESSOAS QUE EU AMO ME ABANDONAREM E EU FICAR SOZINHO? E EU FICAR SOZINHO? E EU FICAR SOZINHO? E EU FICAR SOZINHO?

O QUE VOCÊ PRECISA FAZER

Quando escolhe ir atrás daquilo que realmente deseja fazer da vida, você precisa confrontar alguns medos, e isso vai fazer com que se sinta vulnerável.

Você pode se flagrar imaginando se as pessoas que você ama vão abandoná-lo, se os lugares ainda vão ser os mesmos ou se você vai ficar sozinho. Pode se perguntar qual é o objetivo de tudo isso. Algum sonho obscuro? Uma fantasia de criança? Uma sensação efêmera que você não consegue entender nem explicar?

É neste ponto, na encruzilhada entre a segurança e o desejo, que experimentamos a enormidade de nossos medos, e esse é o momento em que muitos de nós decidimos dar as costas àquele lugar onde não há garantias, nada é conhecido e tudo é possível.

A LISTA DAS COISAS DE QUE VOCÊ TEM MEDO

Pegue um papel e escreva os números de 1 a 10 do lado esquerdo da página. No alto, coloque o título: "Do que você tem medo?" Essa é a lista das piores coisas que podem acontecer, seus maiores medos, seus pesadelos mais assustadores. E você tem dez minutos para anotá-los.

Comece agora.

Agora vamos ser realistas em relação a esses medos. Muitas vezes, nossos temores são como uma espécie de seiva – pegajosos e muito difíceis de remover. Mas quando os colocamos no papel... Eles se tornam palpáveis. Visíveis. *Riscáveis*.

Examine cada um dos seus medos, linha a linha. Analise cada um. Será que esse medo é realista? Será que vale a pena estruturar sua vida em torno dele? Ou será um medo emocional? Será algo em que você deve simplesmente prestar atenção? Converse consigo mesmo a respeito de cada um deles.

Depois de refletir sobre todos os seus temores, faça uma anotação ao lado de cada linha listando uma – só uma – providência que você pode tomar para fazer com que o medo em questão tenha menos poder sobre a sua vida. Conheça bem os seus medos porque eles são as paredes invisíveis que o rodeiam diariamente. Escolha quais devem ficar e quais precisam desaparecer.

1.
2.
3.
4.
5.
6.
7.
8.
9.
10.

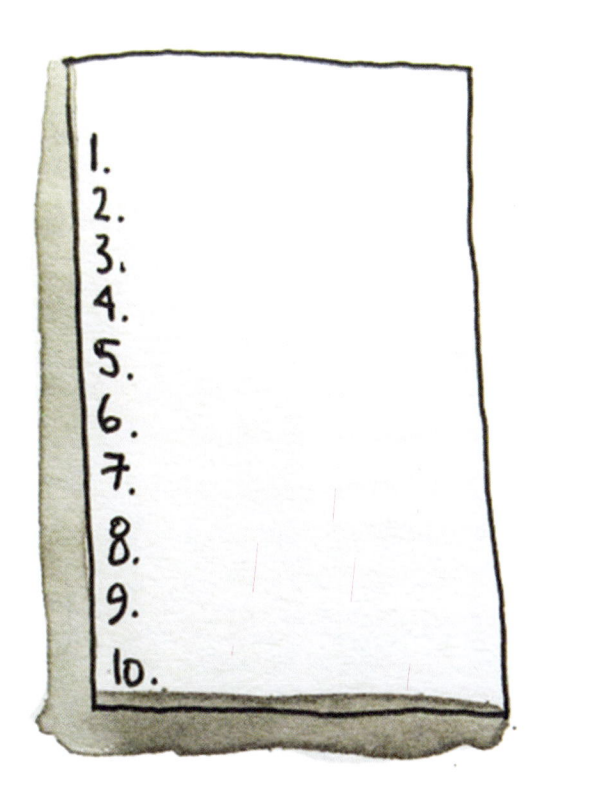

VOCÊ PRECISA COMEÇAR

Uma jornada de mil quilômetros começa com um único passo.

LAO-TSÉ

Para seguir seu coração e fazer o que realmente deseja, você precisa tomar uma atitude. Precisa fazer alguma coisa. Esse pequeno grande momento pode demorar dias, anos, talvez uma vida inteira para chegar. E, quando ele chegar, você vai tomar uma providência – qualquer uma. Não importa se grande ou pequena. E, assim, você estará no caminho para conquistar a vida com que sempre sonhou.

Exemplos de pequenas coisas que você pode fazer para começar:

ANOTAR AQUELA SUA IDEIA ANTIGA

FAZER A PERGUNTA QUE SEMPRE QUIS

CONVIDAR AQUELA PESSOA PARA UM CAFÉ

ESCUTAR AQUELA MÚSICA ESPECIAL

O QUE VOCÊ PRECISA FAZER

- AGENDAR UMA VIAGEM IMPORTANTE
- SEPARAR SUAS FERRAMENTAS
- PENSAR SOBRE AQUELE ASSUNTO
- RESERVAR UM TEMPO PARA FAZER O QUE VOCÊ ANDA ADIANDO
- FAZER A LOGOMARCA DA EMPRESA
- TER AQUELA CONVERSA COM ALGUÉM
- ESCOLHER AS CORES DAS PAREDES
- PROCURAR AQUELA CAIXA VELHA GUARDADA
- LIMPAR SUA MESA DE TRABALHO
- ABRIR UMA PÁGINA EM BRANCO E ESCREVER POR QUINZE MINUTOS
- TOCAR UMA MÚSICA

QUAL É A
ATIT[UDE]
QUE VOCÊ
PARA HONR[A]
VOCAÇÃO

JDE
PODE TOMAR
? SUA
HOJE?

- SÓ UMA
- SÓ DEVE LEVAR CINCO MINUTOS

Se você se pegar olhando do alto de um imenso penhasco e não der para enxergar o que tem lá embaixo, recue.

NÃO SALTE NO ESCURO!!!

Apesar de esta jornada pedir que você se entregue ao desconhecido, não se trata de colocar a si mesmo – e muito menos as pessoas a seu redor – em risco. Seguir uma paixão, um desejo, não deve ser uma façanha perigosa. Isso é algo muito importante, *muito importante mesmo*, para ser feito por capricho ou por mero entusiasmo. Esse tipo de atitude é morte certa.

As mudanças mais sustentáveis acontecem devagar, de modo bem pensado e com tranquilidade. Elas não aparecem por impulso – são construídas com uma intenção sóbria e calma.

Cada pequena decisão conta. Dez minutos de solidão por dia. Um desejo no lugar de um hábito. Reservar seu espaço. Escrever seus desejos e pendurá-los na parede. A paixão não é uma terra longínqua a que você espera chegar algum dia no futuro, não é para amanhã ou para algum outro dia. A paixão é para hoje, para agora. E, à medida que você realiza ações diárias, o penhasco deixa de ser penhasco e se transforma no próximo passo no caminho.

"TODAS AS MANHÃS, QUANDO ACORDO, EXPERIMENTO UM PRAZER SUPREMO: O DE SER SALVADOR DALÍ. ENTÃO PERGUNTO A MIM MESMO, MARAVILHADO, QUE COISA PRODIGIOSA ESSE TAL DE SALVADOR DALÍ VAI FAZER HOJE."

SALVADOR DALÍ

PINTOR

E AGORA?
É SÓ ME LEVANTAR E TRABALHAR TODOS OS DIAS?

SIM.

SOZINHO?

PROVAVELMENTE.

PARA QUÊ?

NÃO ESTÁ CLARO.

PARA QUEM?

PARA VOCÊ MESMO.

POR QUANTO TEMPO?

NINGUÉM SABE.

POR QUÊ?

PORQUE É NECESSÁRIO.

MAS E SE EU FRACASSAR?
Você vai fracassar.

E AÍ?
Você decide se vai continuar tentando.

SERÁ QUE É UMA MÁ IDEIA?
Isso não existe.

MAS E SE FOR HORRÍVEL?
Pare de duvidar e comece a fazer.

NÓS VAMOS TER ESTA CONVERSA DE NOVO AMANHÃ?
Se você quiser, sim.

PARA ONDE TUDO ISTO LEVA?
Pegue suas ferramentas. Trabalhe. E, com o tempo, você vai descobrir.

PARTE IV

ORNO

A PAIXÃO É UMA ESCOLHA QUE SE FAZ TODOS OS DIAS. HOJE. AMANHÃ. E DEPOIS.

Honrar quem você é, as coisas em que acredita e o motivo por que está aqui é um esforço constante e exige empenho. Escolher seguir seu coração, sua vocação, aquilo que você sente que *nasceu para fazer*, é a melhor escolha da sua vida. Quando você faz isso, esse modo de vida transparece em *tudo* o que você faz. O seu espaço sagrado e os seus esforços diários vão se tornar ainda mais sagrados. Você vai construir um mundo lindo. E, com o tempo, será tentador permanecer para sempre nesse lugar mágico que você criou. Mas a jornada completa exige que você retorne, compartilhe sua paixão e enriqueça a vida dos outros.

"NÃO BASTA ALCANÇAR O TESOURO, É PRECISO LEVÁ-LO PARA CASA."

ROGER LIPSEY
ESCRITOR

O RETORNO

EU E NÓS

Depois de criar aplicativos e sites que estavam disponíveis em qualquer telefone do mundo, eu não conseguia me livrar da sensação de solidão que sentia quando estava me dedicando. Ao contrário do design, a pintura não exige interação com usuários, não há público-alvo com o qual se preocupar. Era só eu, numa sala, sozinha, fazendo arte. Minha tensão cresceu.

QUANDO ISSO SE CRUZA COM O RESTO DO MUNDO?

No começo, o desejo parece ter um caráter inerentemente egoísta, mas, ao escolhê-lo, você inspira outras pessoas a fazer o mesmo. Quando escolhe a paixão, você causa um impacto não apenas em sua criação, mas também na pessoa que vai se tornar dali para a frente. É assim que o seu trabalho e a sua vida se transformam numa coisa só. Quando abraça sua vocação, sua obra-prima é você mesmo. À medida que você muda, o trabalho também muda. À medida que você cresce, a criação também cresce. O seu trabalho vive e respira porque você vive e respira. Quando você vive com plenitude, engrandece a experiência humana coletiva. Como William Blake escreveu: "Tudo o que vive não vive sozinho, nem para si mesmo." Aqui já não há mais a divisão entre você e os outros, entre dar e receber. Tudo é uma unidade, uma dança fluida, um diálogo constante em que não dá para saber onde termina um e começa o outro.

"Não pergun[te]
o mundo [...]
pergunte o [...]
você se sen[te]
e vá fazer [...]
porque o m[undo precisa]
de pessoas que [...]"

HOWARD THU[RMAN]

TE DE QUE
PRECISA.
QUE FAZ
TR VIVO
ISSO.
NDO PRECISA
E SINTAM VIVAS."

FILÓSOFO

EU SOU AS ESCOLHAS QUE FAÇO

COMO VOCÊ VAI SE CONECTAR COM OS OUTROS – COM SEU TRABALHO E SUA VIDA?

COMECE UM BLOG

POSTE UMA FOTO NO INSTAGRAM

DEIXE HISTÓRIAS NO ÔNIBUS

SEJA VOLUNTÁRIO

TRABALHE COM CRIANÇAS

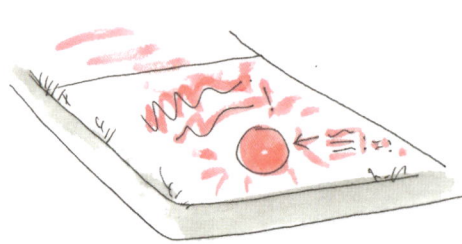

ESCREVA MENSAGENS COM GIZ NA CALÇADA

FAÇA PINTURAS COM OBJETOS QUE ENCONTRAR

O RETORNO

FAÇA TATUAGENS TEMPORÁRIAS

COMPARTILHE SEUS PENSAMENTOS COM OUTRAS PESSOAS

SEJA UM MENTOR

ESCREVA UM ARTIGO

FAÇA UMA REUNIÃO SEMANAL COM PESSOAS QUE PENSAM COMO VOCÊ

ENTRE PARA UM CLUBE DE LEITURA

COLE CARTAZES PELAS RUAS

FUNDE UM GRUPO DE INTERESSES NO TRABALHO

ONDAS

Como você vai inspirar os outros? Será que vai se dar conta do seu poder? Vai inspirar as pessoas porque elas vão ver o seu trabalho? Vão ler os seus textos? Vão se deliciar com os seus produtos? Ou será que vão se sentir tocadas pela maneira como você as escuta? Pela forma afetuosa como você as abraça? Pela maneira como vive seus dias? Será que vai ser por algo que você diz? Ou pelo modo como você fala? Ou será pela paz que emana de você? Embora você talvez não seja capaz de enxergar o impacto causado pela sua vida, ele está lá, num plano que é possível sentir, mas nem sempre ver.

Você já parou ao pé de uma sequoia? Se já fez isso, sabe como essa árvore é majestosa. De tamanho descomunal, tem um tronco tão grande que às vezes quatro pessoas não conseguem abraçá-lo. Mas, quando você está parado ao pé da árvore, o que não dá para ver é o que acontece lá embaixo. Apesar de uma sequoia poder alcançar 110 metros de altura, suas raízes têm, em média, 3 metros de profundidade. Isso porque elas espalham as raízes para longe, em busca de outras sequoias. Então as raízes de várias árvores se entrelaçam no subsolo, e uma sustenta a outra. Uma sequoia não consegue ficar de pé sozinha. Nós também não.

"Agir é modificar a forma do mundo."
JEAN-PAUL SARTRE

UM LUGAR ALÉM

O que chamo de paixão – a força que nos impele a fazer aquilo que parece ser essencial a nossa felicidade e realização – não é algo palpável. Não é possível definir nem determinar onde ela começa ou termina porque não é algo que se pode ver. Mas sabemos que existe porque nós a sentimos no nosso âmago; ela implora por uma segunda olhada, nos puxa para uma outra dimensão, para um espaço sem tempo em que os dias simplesmente voam.

"Quando essa força está funcionando, você vai para outra dimensão", disse o artista Keith Harring. "Você se conecta a coisas universais, que vão além do seu ego e do seu próprio eu. Esse é o objetivo de tudo."

A paixão é o caminho e o destino, a jornada que nos guia na direção desse lugar mais elevado, a unidade de todas as coisas, a fonte primária do que é essencial.

"... MÚSICA OUVIDA COM TANTA PROFUNDIDADE QUE NÃO É OUVIDA DE JEITO NENHUM; MAS VOCÊ É A PRÓPRIA MÚSICA ENQUANTO ELA DURA."

T.S. ELIOT
QUATRO QUARTETOS

A FONTE DA
SUA PAIXÃO

↓

A FONTE DA PAIXÃO
DE TODO MUNDO

↓

A PAIXÃO AO LONGO DO TEMPO

Esta jornada não é nova; talvez seja uma das buscas mais antigas da humanidade. Em algumas tribos inuítes e indígenas norte-americanas, os membros embarcam em jornadas para atingir a iluminação. Eles passam dias na natureza, geralmente em jejum, com o propósito de se reconectar com o meio ambiente e o mundo espiritual, e, com essa imersão, ter sonhos ou delírios que lhes sirvam de guia. Os aborígines australianos saem para longas viagens a pé que às vezes chegam a durar vários meses, e essas jornadas são consideradas a passagem para a vida adulta.

Quando Nipun Mehta estava no auge do sucesso com sua empresa ServiceSpace, sentiu um anseio profundo de ir para a Índia. Vendeu a companhia e convenceu a esposa a acompanhá-lo em uma peregrinação. Eles foram para a Índia e passaram três meses caminhando. Mais tarde, ele perguntou a uma turma de formandos na Universidade da Pensilvânia: "Vocês já pensaram em algo e simplesmente souberam que aquilo precisava acontecer? Essa foi uma dessas coisas." Juntos, ele e a esposa encontraram a generosidade de desconhecidos, maravilharam-se com o mundo natural e, acima de tudo, passaram a se conhecer melhor. "Não passem pela vida simplesmente", ele pediu aos alunos. "Façam com que sua missão seja reconhecer o mistério e dar as boas-vindas a questionamentos que os impulsionem para uma compreensão maior deste mundo e de seu lugar nele."

Com o tempo, você vai chegar a um ponto em que vai estar tão avançado em seu caminho que vai olhar em volta e notar que criou um mundo e que esse mundo criou você – passo a passo, linha a linha, seu sonho na vida real.

"EU SONHO COM A MINHA PINTURA E ENTÃO EU PINTO O MEU SONHO."

VINCENT VAN GOGH

A PAIXÃO AO LONGO DA VIDA

Durante toda a vida, o pai de Mary Ellen Geist tocou em uma banda à noite e nos fins de semana. Em uma carta ao médico e escritor Oliver Sacks, ela escreveu a respeito do pai, que continuou a tocar durante treze anos após ter sido acometido pela doença de Alzheimer.

> *Parece que a doença atingiu grande parte do cérebro dele. (...) Ele não tem ideia do que fazia para ganhar a vida, de onde está morando agora nem do que fez há dez minutos. Quase todas as memórias se foram. Exceto a música. Aliás, ele fez um show em Detroit recentemente. (...) Na noite da apresentação, ele não fazia ideia de como dar o nó na gravata, se perdeu a caminho do palco – mas sua performance? Perfeita.*

Cada um de nós tem um potencial único que nos foi dado ao nascer, mas se vamos cultivá-lo ou não depende apenas de nós mesmos. Em seu sentido mais puro, a paixão é a razão por que estamos aqui, e escolher abraçá-la é a jornada mais importante da nossa vida.

paixão

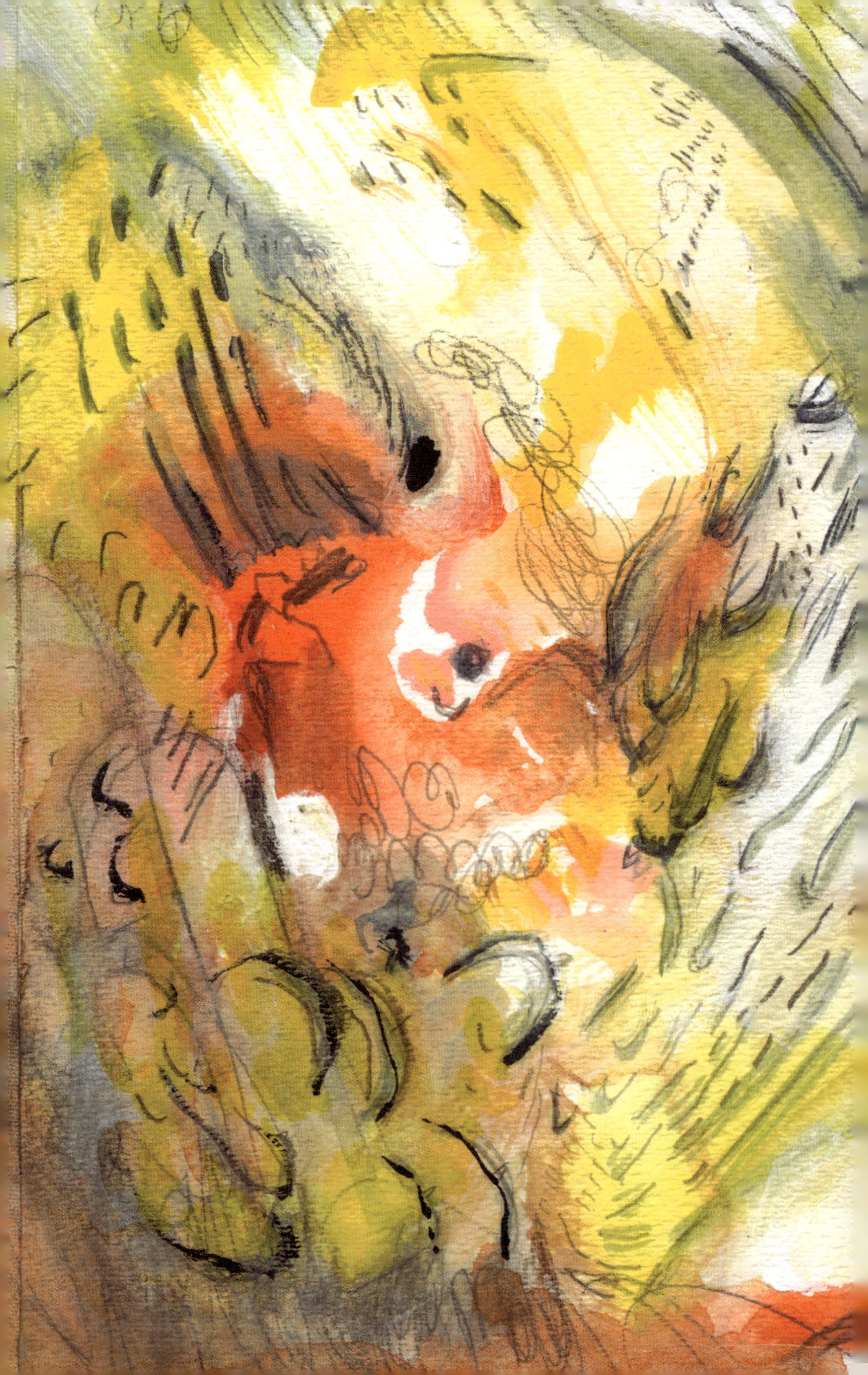

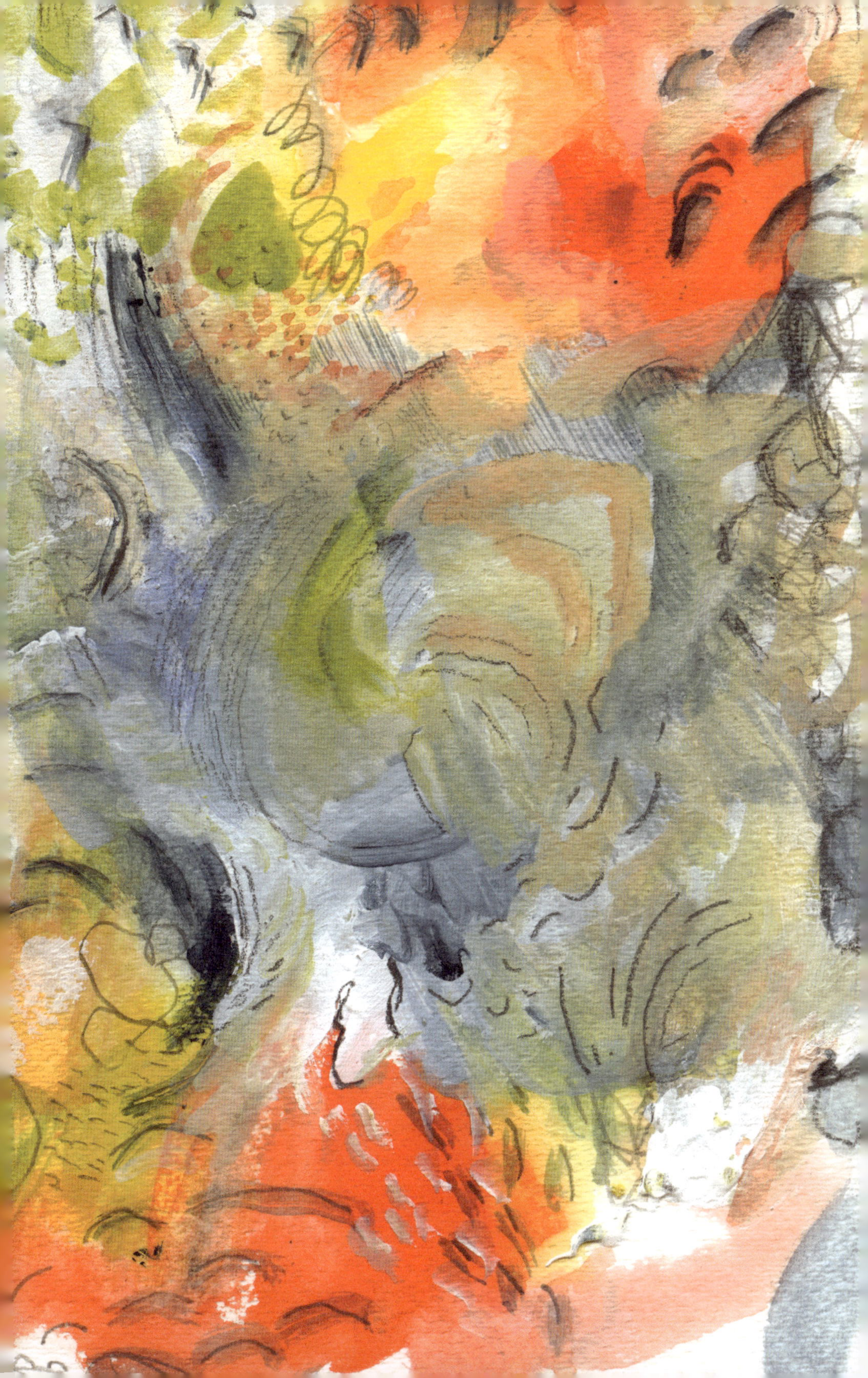

SE VOCÊ ACREDITA Q
DENTRO DE SI E SENT
DE SE DAR UMA CHANC
FAZENDO ALGO PEQUEN
UM NÓ NO ESTÔMAGO PO
ENTRE OS SEUS SONHOS E
ALGO PARA AGARRAR
SE VOCÊ ANDA OLHAN
PAIXÃO MAS AINDA NÃO
VÁ UM POUCO MAIS FUND
IMPEDE DE AVANÇAR —
UMA ESCOLHA RECO
ACONTECE NO ENCO
CAMINHOS. NÓS SEMPR

TEM ALGO ESPECIAL
QUE ESTÁ NA HORA
HONRE ESTA VOCAÇÃO
— HOJE. SE VOCÊ SENTE
E VÊ UMA ENORME DISTÂNCIA
SUA REALIDADE DIÁRIA, FAÇA
UILO QUE QUER — HOJE.
PARA O CAMINHO DA
NSEGUIU FAZER SUA ESCOLHA,
E DESCUBRA O QUE O
OJE. PORQUE EXISTE
RENTE NA VIDA, E ELA
RO ENTRE ESSES DOIS
HEGAMOS A ESSE LUGAR.

E *hoje* a escolha é sua.

← SEGURANÇA

PAIXÃO →

EPÍLOGO

O pianista húngaro András Schiff concluiu sua apresentação das Suítes Francesas de Bach sob uma chuva de aplausos na Orquestra Sinfônica de São Francisco. O homem ao meu lado batia palmas com entusiasmo.

Eu me aproximei um pouco e perguntei: "O que você achou?"

"Formidável, absolutamente formidável", disse ele. "Sabe, eu baixei as apresentações dele e escuto há anos, mas isto – estar aqui na terceira fileira, sentindo as cordas vibrando no meu peito, vendo as mãos dele se agitando por cima das teclas enquanto ele toca durante três horas... com os olhos fechados –, *isto* tem alma."

"Uau", disse eu. "Você deve ser pianista."

"Quem, eu?", respondeu ele. "Não, não sei tocar uma música sequer. Mas costumo sonhar que sei."

SOBRE A AUTORA

Elle Luna é designer, pintora e escritora. Ela já integrou o movimento de arte global "The 100 Day Project", em que as pessoas criam algo diariamente por 100 dias, e trabalhou como designer em empresas e colaborando para a elaboração de aplicativos e sites, como Medium, Mailbox e Uber. Atualmente, dá palestras sobre seu livro ao redor do mundo. Mora em São Francisco e pode ser encontrada em seu Instagram (@elleluna) e em seu site: elleluna.art.

AGRADECIMENTOS ESPECIAIS A:

MINHA FAMÍLIA EDITORIAL

TED WEINSTEIN ♥ BRUCE TRACY ♥ SUZIE BOLOTIN
PAGE EDMUNDS ♥ JAMES WEHRLE ♥ STEVEN PACE ♥ SELINA MEERE
JESSICA WIENER ♥ BETH LEVY ♥ CLAIRE MCKEAN
BECKY TERHUNE ♥ DOUG WOLFF ♥ VAUGHN ANDREWS
MARILYN BARNETT ♥ ADELIA KALYVAS ♥ JOHN JENKINSON
WALTER WEINTZ ♥ DAVID SCHILLER

MINHA FAMÍLIA FAMÍLIA FAMÍLIA ♥

- ELLIE E JIM BEATON — MEUS AVÓS
- MARY D. E EARL LUNA — MEUS AVÓS
- MARY E ROBERT E. LUNA — MAMÃE E PAPAI
- ELE E HUNTLEY LUNA — IRMÃO E CUNHADA
- TILLY — O CACHORRO MAIS FOFO DE TODOS

E 💙 MINHA FUTURA SOBRINHA OU SOBRINHO QUE A GENTE NÃO AGUENTA MAIS ESPERAR PARA CONHECER!!!!!!

MINHA FAMÍLIA DO PLANO ASTRAL

● ☾ ☾ ☾ ◯ ◯ ◯ ◯ ☽ ☽ ☽ ●

EMILY LAFAVE ♥ GENTRY UNDERWOOD ♥ MICHAEL GALPERT
KRISTINA ENSMINGER ♥ CAMILLE RICKETS ♥ CRAIG MOD ♥ KATE LEE
SARA FRISK ♥ LIGAYA TICHY ♥ NICOLE SCHUETZ ♥ DARYA ROSE ♥
♥ MICHELLE UNDERWOOD ♥ RONAN UNDERWOOD ♥ AUSTIN UNDERWOOD
AMBER RAE ♥ FARHAD ATTAIE ♥ SHARON BURKA ♥ ROB LAFAVE ♥
♥ APRIL WATERS ♥ DAVID NOËL ♥ ANNESSA BRAYMER ♥ SARAH OWEN ♥
SANDY SPEICHER ♥ SARA WILLIAMS ♥ EVAN WILLIAMS ♥ OM MALIK
MICHAEL O'NEAL ♥ ZOFI TINKOFF ♥ SUNNY BATES ♥ NINA PACKER
ALEJANDRA CISNERDJ ♥ ANAK AGUNG SRI ARINI ♥ INYOMAN NONDERAN
♥ NI WAYAN PELUNG ♥ NI MADE RENI ♥ NI MADE KARIASTI ♥
NI WAYAN SUGI MULIYANI ♥ A FAMÍLIA LAHEY ♥ A FAMÍLIA VASCONCELOS,
E UM ANJO DO ALÉM, SUSIE HERRICK ♥

FUI INSPIRADA E INFLUENCIADA A ESCREVER ESTE LIVRO POR
<u>GUIA PRÁTICO PARA A CRIATIVIDADE</u>, DE JULIA CAMERON;
<u>SIDARTA</u>, DE HERMANN HESSE;
<u>O ENEAGRAMA NO AMOR E NO TRABALHO</u>, DE HELEN PALMER;
<u>O PODER DO MITO</u>, DE JOSEPH CAMPBELL;
E O TRABALHO DA DRA. CLARISSA PINKOLA ESTÉS.

UM AGRADECIMENTO ESPECIAL FABULOSO MÁGICO-FANTÁSTICO DE OUTRO MUNDO PARA A MINHA EDITORA MARY ELLEN O'NEILL, cujo espírito lindo e generoso deu forma e iluminou cada página deste livro.

CRÉDITOS

A fotografia nas páginas 12 e 13 é do fotógrafo Loren Baxter, de São Francisco. O retrato da página 157 é do fotógrafo Ike Edeani, de Nova York.

Este livro foi composto em FF Tisa, fonte criada por Mitja Mklavčič em 2008, que também é a fonte original em que "The Crossroads of Should and Must" (artigo original em inglês) foi lançado no *Medium.com*, no dia 8 de abril de 2014.

Escrevi o livro em Ubud, Bali, durante a colheita do arroz, sentada a uma mesa de madeira no House Without Walls; e também no chalé mágico e maravilhoso da minha infância em Grand Haven, estado de Michigan. Também no outono em Nova York, no hotel Ace, no quarto 1007. E o terminei onde ele começou, em São Francisco, na Califórnia, na sala branca dos meus sonhos.

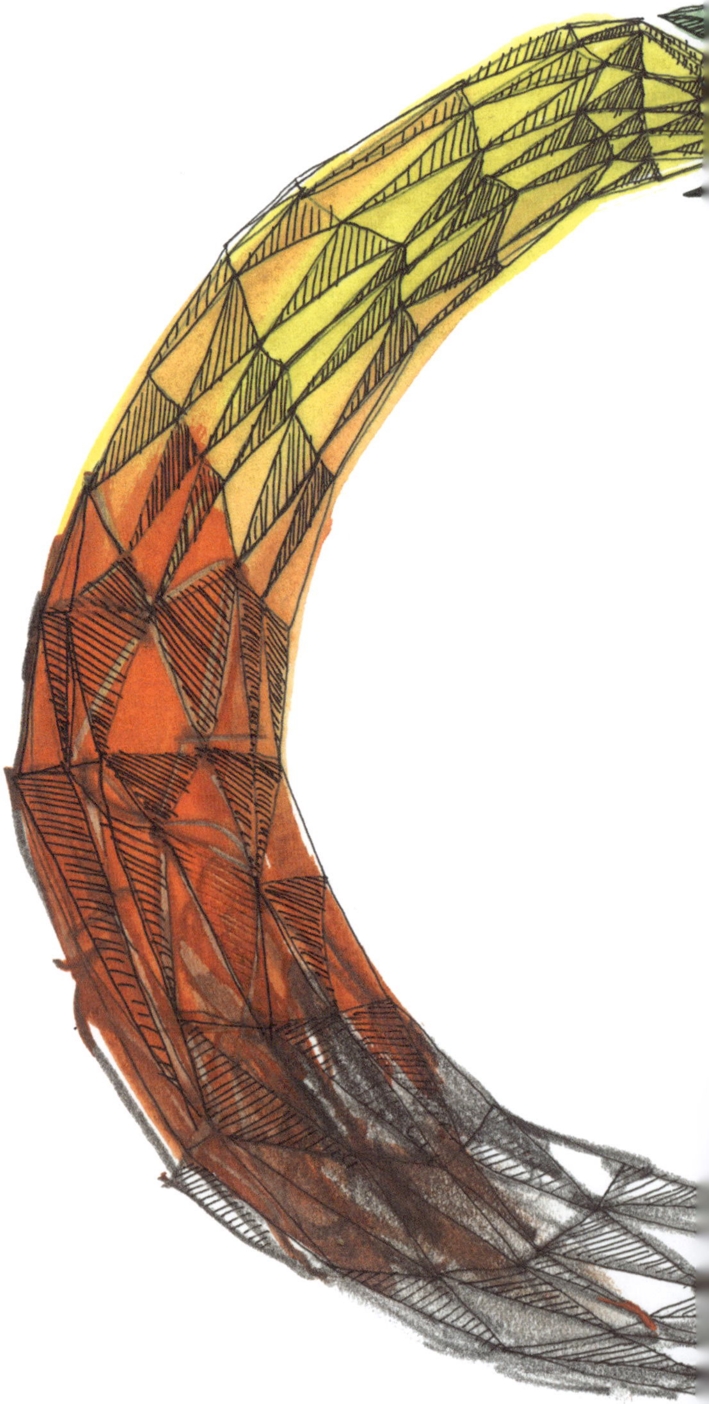

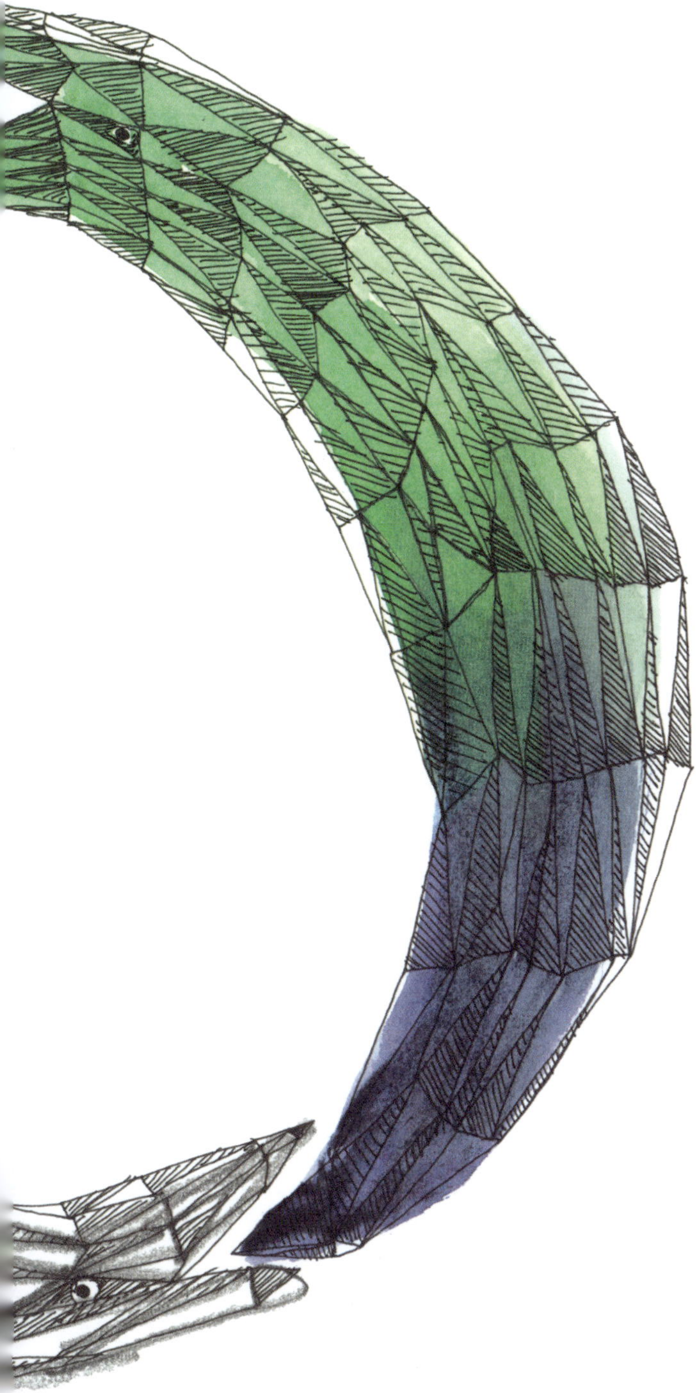

COMPARTILHE AS SUAS IDEIAS
#CHOOSEMUST
#ESCOLHAAPAIXÃO